Delia Zamudio

*Frauenhaut – eine Autobiographie*

## Über die HerausgeberInnen

Die HerausgeberInnen arbeiteten im Rahmen der konzernkritischen Bewegung gegen die Praktiken deutscher Chemieunternehmen mit peruanischen Gewerkschaften zusammen.

*Katharina Müller*, die auch die Übersetzung besorgte, ist Volkswirtin und publizierte zu den Bereichen Gewerkschaftsbewegung und Wirtschaftspolitik in Peru.

*Reinhart Hoß*, der das Nachwort schrieb, arbeitete bei dem Pestizid-Aktionsnetzwerk in Lima zum Thema Agrarchemie und Konzernkritik.

Delia Zamudio

# *Frauenhaut – eine Autobiographie*

## Eine schwarze Gewerkschafterin und Feministin aus Peru

Herausgegeben von Katharina Müller und Reinhart Hoß

ISP & Atlantik

Die Originalausgabe ist 1995 in Peru mit dem Titel *Piel de Mujer* im Verlag der Nichtregierungsorganisation *Fomento de la Vida – Fovida* in Lima erschienen. Die Übersetzung aus dem peruanischen Spanisch und die Bearbeitung für die deutsche Ausgabe besorgte *Katharina Müller.* Die vorliegende Ausgabe wurde um ein Vorwort von *Eleonore von Oertzen,* ein Nachwort von *Reinhart Hoß* sowie um eine Dokumentation zu der Schering-Niederlassung in Lima ergänzt.
Die Verlage danken *Henry Mathews* vom *Schering-Aktionsnetzwerk,* dem *Schmetterling Verlag,* der *tageszeitung* sowie den Zeitschriften *express* und *ila* für die Überlassung der Texte für den Dokumentationsteil.

Fotos: aus dem Besitz von Delia Zamudio
Foto Schering-Werk in Lima: Henry Mathews
Karte von Lima: Dorothee Kodra, Hamburg

Die Deutsche Bibliothek – CIP-Einheitsaufnahme

**Zamudio, Delia:**
Frauenhaut – eine Autobiographie: eine schwarze Gewerkschafterin und Feministin aus Peru / Delia Zamudio.
Hrsg. von Katharina Müller und Reinhart Hoß. – Köln:
Neuer ISP-Verl.; Bremen: Atlantik, 1996
Einheitssacht.: Piel de mujer <dt>.
ISBN 3-929008-29-7 (Neuer ISP-Verl.)
ISBN 3-926529-12-1 (Atlantik)

Neuer ISP Verlag GmbH
Dasselstraße 75-77
50674 Köln
ISBN 3-929 008-29-7

Atlantik Verlag
Elsfletherstraße 29
28215 Bremen
ISBN 3-926 529-12-1

Der Neue ISP Verlag und der Atlantik Verlag sind Mitglieder der assoziation Linker Verlage (aLiVe).

Lektorat: Tom Beier, Reinhard Seekamp
Umschlaggestaltung: Susanne Schmid, DTPbüro, Hanau
Satz: Neuer ISP Verlag GmbH
Satzbelichtung: DTPbüro, Hanau
Druck und Weiterverarbeitung: GuS-Druck, Stuttgart



99 98 97 96 – 1 2 3 4 5

# Inhalt

# Zu diesem Buch

*»Wir werden niemals eine Frau als Vorsitzende akzeptieren, und erst recht keine Schwarze!«*

Dieses Zitat eines Gewerkschaftskollegen von Delia Zamudio führt in das Zentrum der Auseinandersetzungen, von denen in der vorliegenden Autobiographie berichtet wird. Die jetzt vorliegende deutschsprachige Ausgabe wendet sich insbesondere an Menschen aus der Frauen-, Gewerkschafts- und Internationalismusbewegung jenseits der engen Grenzen klassischer *gender-*, *class-* und *race-* Politik.

Unsere Zusammenarbeit mit Delia begann im Rahmen der Arbeit des Schering-Aktionsnetzwerkes, das im Rahmen seiner Konzernkritik die Arbeits- und Umweltbedingungen in den Produktionsstätten dieses deutschen Pharmamultis weltweit beobachtet und mehrere Solidaritätskampagnen mit den Betroffenen organisierte. Aus der Kooperation mit der Betriebsgewerkschaft bei *Schering Farmacéutica Peruana S. A.* entwickelte sich eine Freundschaft mit der engagierten Gewerkschafterin Delia.

Delias schon lange gehegter Wunsch, ihre persönlichen und politischen Erfahrungen einem breiteren Publikum bekannt zu machen, konnte im Anschluß an ihre erzwungene Kündigung bei Schering 1992 schrittweise realisiert werden: Das Interesse der peruanischen Nichtregierungsorganisation *Fomento de la Vida (FOVIDA*, dt. „Unterstützung des Lebens“*)* an Delias weiblicher Biographie wurde in ein konkretes Buchprojekt umgesetzt. Zu diesem Zweck führte die Kommunikationswissenschaftlerin Maritza González ein ausführliches Interview mit Delia durch. In der 1995 erschienenen peruanischen Ausgabe mit dem Titel *Piel de Mujer* (Delia Zamudio: *Piel de Mujer.* Lima: Fovida, 1995.) ist neben stilistischen „Begradigungen“ und dem Auslassen einiger Personennamen, die im peruanischen Kontext Anlaß zu persönlichen und politischen Auseinandersetzungen hätte geben können, auch der Firmenname Schering ungenannt geblieben, was auf eine geringe Konfliktbereitschaft der Herausgeberin schließen läßt. Darüber hinaus weist die Ausgabe Lücken in Bezug auf Delias Identität als Arbeiterin, Gewerkschafterin und Sozialistin auf, da viele ihrer Gedanken und Einschätzungen stark verkürzt wiedergegeben werden.

Für die deutsche Ausgabe bot sich daher eine Erweiterung der peruanischen Edition an, die sich in Absprache mit Delia nicht nur an der ursprünglichen Interviewfassung orientierte, sondern auch das Interesse der Autorin umzusetzen versuchte, ihre Erfahrungen als Arbeiterin und Gewerkschafterin gerade in Deutschland als Sitz des Schering-Konzerns zu veröffentlichen. Das vorliegende Zeugnis besteht demgemäß aus dem geringfügig bearbeiteten Text der peruanischen Ausgabe, aus bisher unveröffentlichten Teilen des Interviews sowie aus einem Anhang über die arbeitsrechtlichen Konflikte bei *Schering Farmacéutica Peruana S. A.* in den achtziger und neunziger Jahren, soweit sie durch das Schering-Aktionsnetzwerk bekannt gemacht und veröffentlicht worden sind.

Delia Zamudio betrachtet die Veröffentlichung ihrer bisherigen Biographie als Teil der politischen Arbeit, ohne aber politische Handlungsanweisungen zu formulieren. Dieser Anspruch verlangt von den Leserinnen und Lesern die Bereitschaft zur Auseinandersetzung mit den Erfahrungen und Reflektionen der Autorin.

# Vorwort von *Eleonore von Oertzen*

Als der nordamerikanische Soziologe Oscar Lewis Anfang der sechziger Jahre sein inzwischen weltweit bekanntes und in zahlreiche Sprachen übersetztes Buch „Die Kinder von Sanchez" veröffentlichte, erweiterte er nicht nur den Methodenkatalog der Sozialwissenschaften und erschloß eine neue Materialgattung – er begründete auch ein literarisches Genre: den mündlich erzählten, professionell bearbeiteten Lebensbericht. Die von Lewis und seinen Mitarbeiterinnen niedergeschriebenen Gesprächsprotokolle verleugneten nicht die mündliche Form der Erzählung und vermittelten damit den Lesern den Eindruck, beinahe selbst mit dem mexikanischen Kellner oder seinen Kindern zu sprechen. Im deutschen Sprachraum fand diese Form des Lebensberichts zuerst mit der Geschichte der bolivianischen Bergarbeitersfrau Domitila Verbreitung.[1] In den folgenden Jahren nahm die Zahl dieser „Zeugnisse" stetig zu: Kleinbauern und Lastenträger, Arbeiterinnen und Bewohnerinnen von Elendsvierteln erzählten interessierten SozialforscherInnen oder JournalistInnen von ihrem Leben und ihren täglichen Kämpfen. Die aus diesen Gesprächen entstehenden Bücher und Artikel haben ohne Zweifel ein weitaus größeres Publikum erreicht, als es sozialwissenschaftliche Analysen je gekonnt hätten. Sie haben durch ihre Anschaulichkeit und durch die subjektive Sicht mit den Augen der jeweils berichtenden Person zahlreichen interessierten LeserInnen die Möglichkeit gegeben, sich die konkrete Lebenssituation der Armen in verschiedenen Ländern der Dritten Welt vorzustellen und sich zumindest in gewissem Maße mit denen zu identifizieren, die unter Bedingungen von Verfolgung, Vernachlässigung oder materiellem Elend für sich und ihre Kinder um die Möglichkeit eines menschlichen Lebens kämpfen.

Trotz dieser unbestrittenen Verdienste ist das literarische Genre der Lebenszeugnisse nicht unproblematisch. So erhebt sich unweigerlich die Frage nach ihrer Repräsentativität. Kann die Frau aus den Minen Boliviens oder die andere aus der brasilianischen Favela tatsächlich als typisch

1 Viezzer, Moema: Wenn man mir erlaubt zu sprechen ... Das Zeugnis der Domitila, einer Frau aus den Minen Boliviens. Bornheim 1978. Erst nach dem Erfolg dieses Buches fand auch das Werk von Lewis, 20 Jahre nach dem Erscheinen der Originalausgabe, in deutscher Übersetzung ein größeres Publikum.

für die bolivianischen Bergarbeitersfrauen oder die brasilianischen Armenviertelbewohnerinnen gelten? Ist es die exemplarische Vertreterin, die hier spricht, oder gerade die Ausnahme? Zeugt nicht schon die Tatsache des Sprechens und vor allem des Angehörtwerdens davon, daß wir es mit der Ausnahme zu tun haben, und nicht mit der Regel? Nur selten wird erläutert, wie Sprechende und ProtokollantIn zusammengekommen sind, noch seltener erfahren wir, in welcher Weise die Veröffentlichung des Lebensberichts auf die weitere Biographie eingewirkt hat. Ein weiteres Problem der meisten Zeugnisse besteht darin, daß sie ohne Zweifel bearbeitet worden sind. Eine chronologische Abfolge wurde hergestellt, Wiederholungen oder Außenstehenden unverständliche Anspielungen wurden getilgt. Das dient ohne Zweifel der Lesbarkeit, verletzt aber andererseits die „Authentizität", von der das Genre doch gerade seine Existenzberechtigung herleitet. „Die Betroffenen sollen selbst zu Wort kommen," heißt es – aber am Ende ist für die LeserInnen nicht mehr zu unterscheiden, wo die Grenze zwischen dem ursprünglichen Bericht und der Arbeit von HerausgeberIn und ÜbersetzerIn verläuft. Schließlich wurde während des „Booms" der Lebenszeugnisse in den achtziger Jahren gelegentlich der Eindruck vermittelt, diese Dokumente seien ihrer „Authentizität" wegen „wahrer" als sozialwissenschaftliche oder historischen Analysen. Damit wurden die biographischen Berichte ohne Zweifel überfordert.

Allerdings erhält die Erforschung individueller Biographien dann einen großen Reiz, wenn sie Einblicke in das Spannungsfeld zwischen der einzelnen Lebensgeschichte und den sie umgebenden gesellschaftlichen Verhältnissen eröffnet. Dafür ist das vorliegende Zeugnis von Delia Zamudio, peruanische Arbeiterin und Gewerkschaftsaktivistin schwarzer Hautfarbe, ein faszinierendes Beispiel. 1943 geboren, hat sie die vergangenen fünf Jahrzehnte peruanischer Geschichte nicht nur am eigenen Leibe verspürt, sondern ist sich dessen auch vollauf bewußt. Immer wieder unterbricht sie ihre Erzählung durch Reflexionen über den Zusammenhang zwischen ihrer individuellen Geschichte und der wirtschaftlichen, politischen und sozialen Entwicklung des Landes. Dabei präsentiert sie sich weder als ständiges Opfer noch als Einzelkämpferin, vielmehr entsteht vor unseren Augen das Bild einer Frau, die in dauernder Neugier die ihr Leben prägenden Verhältnisse besser zu begreifen trachtet und andere Menschen zu gemeinsamem Vorgehen zu überzeugen versteht.

Von den ersten Seiten an ist Delia Zamudios Bericht von der klaren Erkenntnis durchzogen, daß sie einer dreifachen Unterdrückung unterlag: als Angehörige der Unterschicht eines Landes der Dritten Welt und Arbeiterin, als Frau und als Angehörige der afroamerikanischen Minderheit in Peru. Diese drei Aspekte sind häufig miteinander verknüpft und können sich gegenseitig verstärken, aber niemals läßt Delia Zamudio den Eindruck entstehen, sie stünden in einem hierarchischen Verhältnis, und wenn die eine Form der Unterdrückung überwunden sei, hätten sich auch die anderen erledigt. Vielmehr ist sowohl ihr politisches wie ihr privates Leben als eine dauernde Auseinandersetzung zu sehen, sich gegen alle drei Aspekte zur Wehr zu setzen, wobei die Prioritäten nie von vornherein feststanden, sondern immer wieder neu gesetzt werden mußten.

Die prägende Erfahrung ist allerdings die Armut in ihrer Kindheit und Jugend. Aus einer Familie landloser TagelöhnerInnen stammend, zog die Mutter mit ihrer kleinen Tochter nach Lima auf der Suche nach Arbeit und einem besseren Leben – wie in jener ersten großen Welle der Landflucht in den vierziger Jahren Tausende anderer PeruanerInnen. Die Hauptstadt bot immerhin einen Broterwerb und ein Dach über dem Kopf, aber um den Preis des Verlustes von Verwandtschafts- und Nachbarschaftsbeziehungen, die das tägliche Überleben auf dem Lande erleichtert hatten. Schon früh lastete die Verantwortung für Haushalt und Geschwister auf der ältesten Tochter. Der Wunsch nach Schulbildung treibt die kleine Delia schon mit zwölf Jahren aus den Haus. Sie wird Hausangestellte und besucht zugleich die Grundschule. Noch heute teilen viele junge Mädchen aus den Randbezirken der Städte oder aus ländlichen Gebieten dieses Schicksal: die Möglichkeit, nachmittags oder abends zur Schule zu gehen, bezahlen sie mit schwerer Arbeit für den Rest des Tages und nicht selten mit dem Erleiden von Mißhandlungen, Demütigungen und sexuellen Übergriffen. Schon an diesem Beispiel wird deutlich, daß die ökonomische Ausbeutung von Mädchen und jungen Frauen aus den armen Bevölkerungsschichten und ihre sexuelle Unterdrückung miteinander verschränkt sind. Das gilt nicht nur für die Arbeit in privaten Haushalten, sondern auch in Werkstätten, Fabriken und Büros. Delia Zamudio hat zahlreiche Erfahrungen dieser Art machen müssen und daraus die Konsequenz gezogen, sich sowohl als Arbeiterin als auch als Frau zur Wehr zu setzen. Das Verhalten mancher Gewerkschaftskollegen hat ihr deutlich gemacht, daß es sich bei Mißhandlungen von Frauen nicht um Ausdrücke eines „Nebenwiderspruchs“ handelt, der sich von selbst lösen wird, sobald der „Hauptwiderspruch“ zwischen Kapital und Arbeit zugunsten letzterer entschieden sein wird. Ihre Kämpfe als Frau und als Gewerkschafterin überschneiden sich zu weiten Teilen, deshalb trägt sie die Anliegen der weiblichen Beschäftigten in die Gewerkschaftsbewegung und besteht innerhalb der Frauenbewegung darauf, die Interessen arbeitender Frauen zu berücksichtigen.

Obgleich Delia Zamudio sich auch als Angehörige der afroamerikanischen Minderheit in Peru unterdrückt fühlt und zahlreiche Bespiele für rassistische Diskriminierung anführt, die sie in ihrem Leben erfahren hat, spielt dieser Aspekt eine untergeordnete Rolle. Das liegt sicherlich nur zum Teil daran, daß die schwarzen PeruanerInnen bis heute keine politische Bewegung gebildet haben, um gleiche Rechte einzufordern und gegen offene wie verborgene Benachteiligung zu protestieren. Es gibt in der peruanischen Gesellschaft – bei Schwarzen wie bei Nicht-Schwarzen – bisher kaum auch nur eine Diskussion über die Situation dieses Bevölkerungsteils. Wenn von Rassismus im Lande die Rede ist, wird darunter in der Regel die Verachtung der Weißen und Mestizen für LandbewohnerInnen indianischer Herkunft verstanden. Während der siebziger Jahre wurde seitens der „revolutionären" Militärregierung Velasco Alvarado versucht, durch eine Aufwertung der indianischen Vergangenheit sowie der indigenen Sprache und Traditionen bei allen PeruanerInnen Stolz auf dieses kulturelle Erbe zu wecken. Die Diskriminierung der Afro-PeruanerInnen (ebenso wie der Nachkommen chinesischer und japanischer EinwandererInnen) wurde ignoriert. Dieser Betrachtungsweise kann sich selbst Delia Zamudio nicht ganz entziehen. Die Kränkungen, die sie ihrer Hautfarbe wegen erfährt, betrachtet sie eher als ein persönliches Problem oder gar als Ansporn, sich als Schwarze in einer Welt der Weißen zu behaupten.

Während der vorliegende Bericht also mehr darstellt als ein individuelles Leben und mit seinen Schilderungen wie auch mit dem, was er ausläßt oder vernachlässigt, Licht auf die peruanische Gesellschaft als Ganzes wirft, darf man zugleich nicht vergessen, daß er die Sicht einer einzelnen, kämpferischen, leidenschaftlichen Frau ist, die nicht zögert, in Auseinandersetzungen Partei zu ergreifen. So sind die Konflikte innerhalb der Gewerkschaftsbewegung, der peruanischen Linken oder der Frauenbewegung vom Standpunkt einer Fraktion oder Person her geschildert, und es ist sehr wohl möglich, daß andere Beteiligte völlig unterschiedliche Erinnerungen daran bewahrt haben. Aber auch wenn Delia Zamudio mit ihrer Kritik an ihren politischen GegnerInnen – seien es traditionelle Gewerkschafter oder Vertreterinnen der „unabhängigen" Frauenbewegung – nicht hinter dem Berg hält, bricht sie doch das Gespräch niemals ab und weist in manchen Fällen darauf hin, daß sie sich mit den betreffenden Personen zu einem späteren Zeitpunkt besser hat verständigen können.

Während die europäische StudentInnenbewegung von 1968 proklamierte: „das Private ist politisch“, hielt die lateinamerikanische, auch die peruanische Linke bis Anfang der achtziger Jahre an der strikten Trennung von politischer Aktivität und Privatleben fest. „Persönliche Probleme“ störten, lenkten vom Klassenkampf ab und waren gänzlich unakzeptabel als Argument für oder gegen bestimmte Formen politischen Engagements. Erst im Zuge der erstarkenden Frauenbewegung, die auch und besonders die Aktivistinnen der linken Parteien ergriff, konnten die familiäre Arbeitsteilung zwischen Mann und Frau, das Verhältnis zu Kindern oder der persönliche Umgang von GenossInnen miteinander zum Thema gemacht werden. Delia Zamudio hat diese Trennung von privatem und politischem Leben für sich selbst schon sehr früh durchbrochen, zumindest in dem Sinn, daß sie die traditionelle Rollenzuweisung als Mutter und Hausfrau ablehnte und von ihrer Familie (einschließlich ihrer Lebensgefährten) Rücksicht auf ihre gewerkschaftliche Arbeit verlangte. Auch hat sie nicht gezögert, aus ihren politischen Erkenntnissen persönliche Konsequenzen zu ziehen, z. B. im Hinblick auf die Erziehung ihrer Töchter.

Durch die Offenheit, mit der sie ihre familiären Erfahrungen als Tochter, Ehefrau und Mutter schildert, eröffnet Delia Zamudio auch Einblicke in ein weiteres Phänomen, das über ihr individuelles Leben hinaus die gesamte peruanische Gesellschaft durchdringt: die allgegenwärtige Gewalt. In den vergangenen zwölf Jahren hat Peru vor allem mit politischer Gewalt Schlagzeilen gemacht: mit dem Terror von Sendero Luminoso, Polizei und Streitkräften. Auch Delia Zamudio hat, noch zu Zeiten der Militärregierung, Verfolgung durch das Militär erfahren. Aber es ist vor allem die alltägliche Gewalt, die ihr Bericht so anschaulich vor Augen führt: Mißhandlungen und Demütigungen durch Lehrerinnen, Arbeitgeber und Vorgesetzte, aber vor allem Gewalt innerhalb der Familie. Delia Zamudios Erfahrungen sind weder eine Ausnahme, noch gehören sie der Vergangenheit an. Ärzte, SozialarbeiterInnen und PsychologInnen, die in den Elendsvierteln arbeiten, sind täglich mit den vielfältigen Formen grausamer Strafen konfrontiert, mit denen Eltern aus Hilflosigkeit und Verzweiflung, aber auch im Alkoholrausch, ihre Kinder mißhandeln. Viele PeruanerInnen sind auch heute noch der Ansicht, daß eine Ehefrau in jedem Falle bei ihrem Mann bleiben muß, selbst wenn er sie schlägt. Delia Zamudio ist zu Recht stolz darauf, daß sie ihren Töchtern solche Erfahrungen weitgehend hat ersparen können, nicht zuletzt, indem sie sich selbst geweigert hat, Demütigungen und Mißhandlungen zu ertragen. Sie weiß, daß sie durch ihr persönliches Verhalten die sie umgebenden Verhältnisse nicht grundsätzlich verändern konnte, aber sie hat immer wieder darum gekämpft, immerhin die Wahl zwischen mehreren Möglichkeiten haben. Das macht die Autobiographie von Delia Zamudio zum Bericht einer ebenso starken wie klugen Frau.

## LIMA: Handlungsorte der Biographie

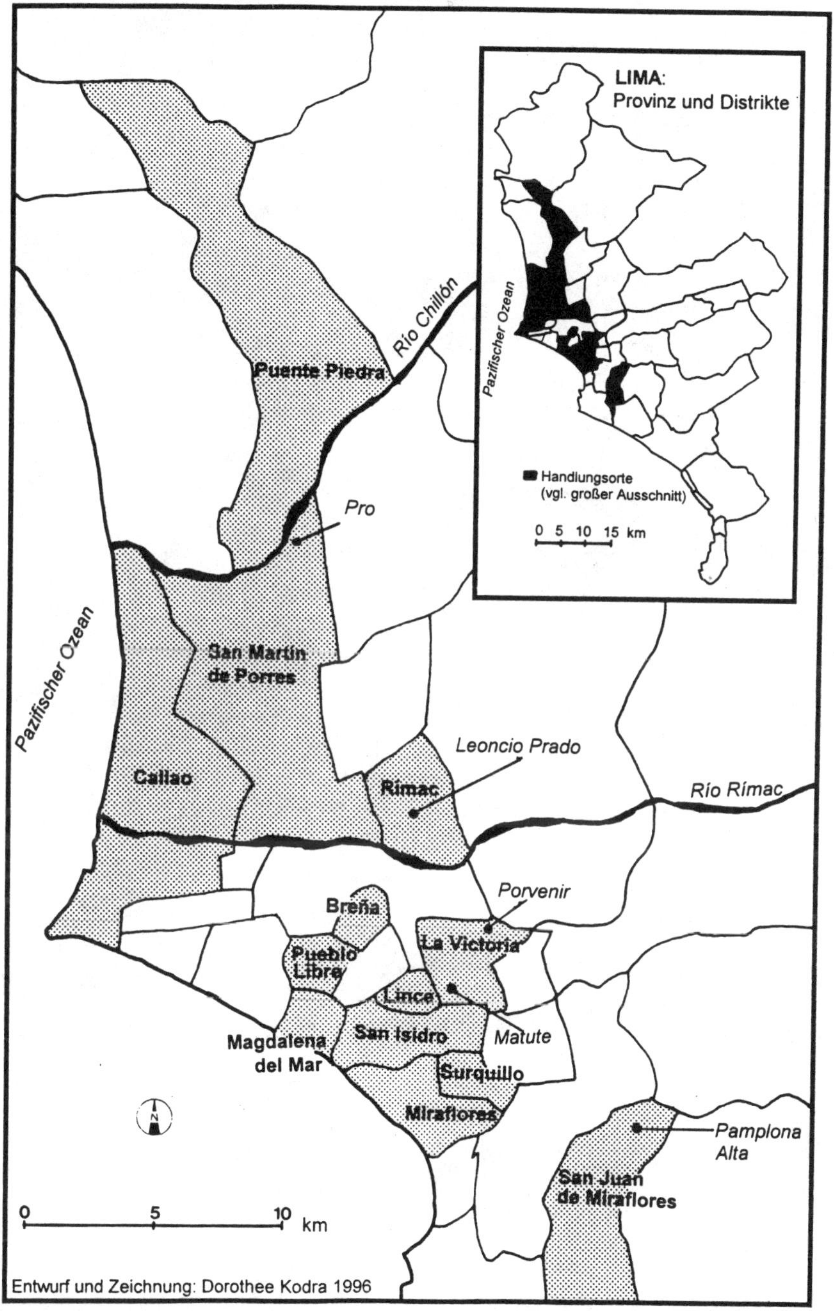

# Ich bin aus Chincha

Am 20. Juni 1943 wurde ich auf dem Landgut „Hoja Redonda“[1] geboren, das in Chincha[2] liegt. An die ersten Monate meines Lebens kann ich mich natürlich nicht mehr erinnern. Meine Mutter erzählte mir aber, daß sie sich von meinem Vater trennte, als ich gerade acht Monate alt war. Meine Mutter hatte herausgefunden, daß ihr Mann ihr untreu war: Er hatte nicht nur zwei Töchter mit ihr, sondern auch noch vier Kinder mit einer anderen Frau. Sie sprach ihn nie darauf an, entschloß sich aber, mit ihm Schluß zu machen. Eines Tages packte sie ihre Sachen, bevor er von der Arbeit kam, und ging mit mir und meiner älteren Schwester fort, ohne sich noch einmal umzusehen.

Sie ging mit uns in die Hauptstadt Lima, um dort Arbeit und neue Perspektiven zu suchen – wie so viele andere damals auch. Dort gingen wir als erstes im Parque de la Reserva spazieren. Als meine Mutter sich über ihre Situation klar wurde und zu weinen begann, kam eine Dame vorbei und fragte, was denn los sei. Meine Mutter erzählte ihr voller Schmerz, was sie erlebt hatte. Die Dame hörte ihr zu, dann bot sie ihr Wohnung und Arbeit in ihrem Haus an. Sie wohnte im Stadtteil Miraflores[3] und gehörte einer damals recht wohlhabenden Familie an. Wir wohnten zu dritt in einem kleinen Zimmerchen. Meine Mutter brachte uns Essen, wenn sie mit dem Kochen und der nie endenwollenden Hausarbeit fertig war. Damals hatte meine Mutter fast nie Zeit für uns, sie arbeitete und arbeitete.

Die Dienstmädchenkammer, in der wir lebten, befand sich im hinteren Teil des Hauses, gegenüber dem wunderschönen Innenhof. Obwohl das Zimmer ziemlich versteckt lag, hatte es einen Ausgang zur Avenida Arequipa. Meine Mutter erzählte mir, daß ich eines Tages, als ich etwa drei Jahre alt war, durch das Gartentor entwischte. Als ich so durch die Straßen irrte, schnappte mich die Polizei. Meine Mutter war zu Tode erschrocken, sie hatte mich überall gesucht. Voller Zorn bestrafte sie meine Schwester, weil sie nicht auf mich aufgepaßt hatte. Im Haus war die Hölle los. Meine Mutter bekam Ärger, weil sie den ganzen Tag geweint und mich gesucht hatte, anstatt zu kochen. Ohne mit der Wimper zu zucken, teilte die Dame des Hauses ihr mit, daß sie keine Hausangestellte mit Kindern gebrauchen könne, da diese viele Probleme mit sich brächten. Wir landeten also wieder auf der Straße.

Bald lernten wir eine sehr freundliche Dame kennen, die in der Nähe wohnte und ebenfalls wohlhabend war: Doña Maruja. Wir gingen mit zu ihr und wohnten von diesem Tag an in ihrem Haus. Damals hatte meine Mutter einen Polizisten kennengelernt und sich in ihn verliebt. Zum Zeitpunkt meiner Eskapade aus dem vorherigen Haus war sie bereits im vierten oder fünften Monat schwanger – das mag auch zu ihrer Entlassung beigetragen haben. Doña Maruja wußte von der Schwangerschaft und übernahm für uns Verantwortung. Sie bot sich als Patentante für das Kind an, das auf die Welt kommen würde, und suchte dessen Vater auf, um ihn davon zu überzeugen, daß meine Mutter eine gute Frau sei, die er nicht betrügen solle.

In dieser Umgebung wuchs ich auf. Als ich fünfeinhalb Jahre alt war, gab es eines Tages einen heftigen Streit. Ich erinnere mich, daß wir viel Geschrei im Haus hörten. Meine Mutter konnte uns das Problem nicht recht erklären. Offenbar hatte sie herausgefunden, daß Doña Maruja von ihrem Ehemann mit einer anderen Frau betrogen wurde. Daraufhin war dieser wütend auf meine Mutter und wollte sie nicht mehr sehen. Keine Ahnung – jedenfalls gab es ein entsetzliches Theater. Meine Mutter war sauer, daß ihr Vorwürfe gemacht wurden, holte uns um Mitternacht aus dem Bett und sagte, daß wir fort müßten. Es regnete in Strömen. Ich erinnere mich, daß meine Mutter weinte und wir nicht wußten, wo wir hingehen sollten. Meine kleine Schwester war schon geboren, und meine Mutter versuchte sie zu wärmen, weil es sehr kalt war. Sie erinnerte sich schließlich an Onkel José, einen Vetter, den sie erst kürzlich ausfindig gemacht hatte. Er hatte ihr seine Adresse im Matute-Viertel[4] gegeben, und dort kamen wir spät in der Nacht an. Onkel José legte uns Strohmatten hin und gab uns wohl auch Decken. Wir schliefen auf dem Boden.

Wir blieben eine Weile im Haus des Onkels. Meine Mutter sagte dem Vater meiner kleinen Schwester, wo wir waren. Er kaufte uns Kochtöpfe und andere Dinge, und manchmal besuchte er uns, um mit uns seine freien Tage zu verbringen. Ich muß sagen, er behandelte mich nicht schlecht, aber wenn er Obst mitbrachte, dann war es nur für sein Töchterchen. Meine Schwester war sehr hübsch, sie hatte eine helle Haut und schöne Locken.

Damals gelang es meinem Vater, herauszufinden, wo wir wohnten. Eines Tages, als ich vom Einkaufen kam, saß meine Mutter weinend zuhause und erzählte mir, daß er meine ältere Schwester mit nach Chincha genommen hatte. Ich bat sie, meine Schwester wieder zurückzuholen, aber meine Mutter sagte, das könne sie nicht. Meine Schwester war acht Jahre alt, ich vielleicht fünf, und ich vermißte sie sehr. Meine Mutter schimpfte mit mir und sagte, ich müsse mich an den Gedanken gewöhnen, sie nicht wiederzusehen. Ich war wütend auf meine Mutter. Sie wollte sich nicht vom Vater meiner jüngsten Schwester trennen, mit dem sie sich inzwischen wohlfühlte. Deshalb ging sie ihre älteste Tochter nicht suchen.

Einige Jahre später fuhr ich nach Chincha, um meine Pateneltern kennenzulernen. Mir gefielen die grünen Felder, die frische Luft, die freundlichen Menschen und die heiße Sonne. Ich weiß noch, daß es mehrere Landgüter gab, auf denen vorwiegend Schwarze lebten: San José, Hoja Redonda, Guayabo, El Carmen[5] und andere. In „El Carmen“ lernte ich voller Staunen einen Cimarrón[6] kennen. So wurden die Schwarzen genannt, die die Sklaverei nicht akzeptierten und wegliefen, um eine eigene Gemeinschaft zu gründen. Unter den schwarzen Sklavinnen und Sklaven genossen die Cimarrones hohen Respekt, und wegen ihrer Kenntnisse wurden sie oft konsultiert. Bis heute gibt es Schwarze, die sich Cimarrones nennen und die Traditionen unserer Vorfahren bewahren möchten. Mein Vater stammte von einem Cimarrón ab und erzählte uns viele Geschichten. In Chincha gibt es gute Musik, die Leute sind fröhlich und offen. Es ist eine ganz besondere Gegend, auch wenn einige Gebräuche jetzt in Vergessenheit geraten. Eine der vielen Geschichten über Chincha, die mir als Kind erzählt wurde und an die ich mich immer noch erinnere, handelt von der Habsucht:

In der Nähe von Chincha gibt es einen Berg, den die Menschen heute noch in der Ferne sehen und der „Casa Blanca“[7] heißt. Im Märchen heißt es, daß einmal ein Mann am Fuß des Berges saß und weinte. Er war untröstlich, weil sein Sohn krank war. Seine Klagerufe verloren sich im Wind. Plötzlich öffnete sich vor seinen Augen ein Türchen, und überrascht erblickte er viel Gold. Eine freundliche Stimme sagte zu ihm: „Nimm dir das Gold.“ Der Alte war bescheiden und nahm nur so viel, wie er benötigte, um seinen Sohn heilen zu können und sich ein Haus zu kaufen. Als er in seinem Dorf ankam, erfuhr sein Bruder von dem Glück und verlangte den Ort zu sehen, wo der Alte das Gold gefunden hatte. Kaum kannte er die Stelle, da begab er sich mit nicht weniger als drei Eseln dorthin. Er wartete recht ungeduldig, und als sich die Bergwand öffnete, führte er schnell seine Esel hinein. Da schloß sich der Berg, und der Bruder kam nie wieder heraus.

## Tante, ich möchte lesen lernen

So verging die Zeit. Als ich sieben Jahre alt wurde, sagte meine Mutter: „Jetzt sollst du das ABC lernen." Sie schickte mich zu einer Lehrerin, Señora Luisa. Der Unterricht fand in ihrem kleinen Häuschen statt – eine richtige Schule war das nicht. Ich erinnere mich noch an eine Mitschülerin mit dem Spitznamen „Pichiusa".[8] Sie war klein, hatte grüne Augen und wohnte bei mir gegenüber. Eines Tages bat Señora Luisa meine Mutter um meinen Taufschein, denn alle Kinder sollten in eine staatliche Schule kommen. Da begann mein Leidensweg: Meine Mutter sagte, daß ich nicht in die Schule gehen würde, weil sie sich außerstande sah, meine Geburtsurkunde aus Chincha zu holen. Sie hatte Angst, mich allein zu lassen, denn mein Vater hätte mich ja auch noch entführen können. So konnte ich nicht weiterlernen und mußte zuhause bleiben.

Meine Mutter begann, sich mit meinem Stiefvater zu streiten, der jetzt nicht mehr so regelmäßig kam. Wir brauchten Geld, und so begann meine Mutter wieder zu arbeiten: zuerst als Wäscherin, später fuhr sie im Morgengrauen nach Callao[9], um am dortigen Hafen Fisch zu erstehen, den sie weiterverkaufte. Wenn sie zurückkam, weckte sie uns und machte Frühstück. Sie gab uns einige Fische für das Mittagessen und ging gleich wieder mit ihren Körben aus dem Haus, um die übrigen Fische zu verkaufen. Weil meine Mutter Angst hatte, wir könnten auf die Straße laufen, schloß sie uns während ihrer Abwesenheit im Haus ein.

Ich kann mich noch gut erinnern, daß meine Mutter immer in Eile war und mir Aufträge gab. Bevor sie losging, sagte sie: „Delia, du gibst deiner Schwester die Flasche. Du legst sie so und so hin. Wenn sie sich verschluckt, hebst du sie hoch ..." Ich hatte meine kleine Schwester sehr gern, aber wenn ich sie umarmen wollte, biß sie mich. Auch die anderen Kinder schlug und biß sie ständig. Manchmal sagte meine Mutter: „Hol' doch mal deine Schwester". Wenn ich ihr dann sagte, daß die Mutter sie gerufen hatte, und sie an die Hand nahm, verteidigte sich die Kleine mit allen Mitteln, so daß ich sie hinter mir herschleifen mußte. Wenn sie etwas anstellte, war ich dran: Ich wurde geschlagen, weil ich ja auf sie aufpassen sollte. Eines Tages bemerkte ich, daß meine Mutter wieder schwanger war. Diesmal bekam ich einen Bruder. Wir wohnten weiterhin in Matute.

Mit der Machtübernahme des Generals Odría[10] kam eine harte, schwierige Zeit. Alles wurde knapp, und es gab überall riesige Warteschlangen. Die Menschen verzweifelten schier. Meine Mutter holte mich aus dem Bett, um für Öl, Kohle und andere Dinge anzustehen. Mit meinen neun Jahren stand ich stundenlang Schlange und fror erbärmlich, damit sie Reis, Zucker, Öl und Salz hatte.

In meiner Kindheit habe ich eigentlich kaum gespielt, da ich dafür keine Zeit hatte. Wir wurden ja auch immer im Haus eingeschlossen. Manchmal kam meine Tante Lucila, die in San Isidro[11] als Köchin arbeitete, und brachte uns Essen. Sie vergaß hin und wieder, die Haustür abzuschließen, wenn sie ging. Ich freute mich dann immer sehr und ging zum Spielen zu Pichiusa, der Kleinen von gegenüber. Unser häufigstes Spiel war „Yas"[12], bei dem wir einen kleinen Ball hochwarfen und mit einer Hand wieder auffingen. Meistens hatten wir keinen Ball, dann nahmen wir stattdessen einfach einen runden Stein.

Ich erinnere mich, daß ich einmal eine Stoffpuppe geschenkt bekam. Wenn ich zuhause eingeschlossen wurde, spielte ich mit ihr, bis meine kleine Schwester aufwachte. Dann war sie meine „Puppe", ich mußte sie ja versorgen. Als ich zehn Jahre alt war, kam mein Bruder zur Welt, um den ich mich dann ebenfalls kümmern mußte. Auch der Haushalt gehörte zu meinen Aufgaben, seit ich nicht mehr zur Schule ging. Meine Mutter brachte mir bei, wie die Kartoffeln geschält wurden und wie der Reis zu kochen war. Der Herd war zu hoch für mich. So stellte sie mich auf eine Kiste, damit ich etwas sehen konnte. Wir hatten damals einen Kohleherd, der leicht anzufeuern war. Mir gefiel die Hausarbeit nicht – ich hätte viel lieber gespielt.

Aber wenn ich zum Spielen auf die Straße ging, schlug meine Mutter mich. Ich hatte aufmerksam zuzuhören, was sie mir erklärte. Einmal sagte sie mir: „Du bleibst zuhause und brätst Fisch für dich und deine Schwester. Erst mußt du ihn waschen und dann mit lauwarmem Wasser putzen. Wie du den Reis kochen mußt, weißt du ja schon. Gib dir Mühe, denn ich werde auch zum Essen kommen." Mit diesen Worten ging sie aus dem Haus. Nach ihren Anweisungen stellte ich den Fisch in einem Topf mit Wasser auf das Herdfeuer, um ihn dann zu putzen. Meine Tante Lucila hatte an diesem Tag wieder einmal die Haustür offengelassen, und so rannte ich begeistert auf die Straße, um Yas zu spielen. Als ich später ins Haus ging, war der Fisch bereits gekocht – allerdings mit sämtlichen Innereien. Ich versuchte also, den Fisch nachträglich zu putzen, bevor meine Mutter kam, aber er zerfiel in meinen Händen. Es blieben fast nur die

Gräten übrig, und ich weinte verzweifelt. Was ich vom Fisch noch retten konnte, briet ich in der Pfanne.

Als ich meine Mutter kommen hörte, bekam ich große Angst. Sie sah gleich, was passiert war, und schlug mich fürchterlich: „Wenn ich dir Aufträge gebe, hast du zuzuhören!“ Am meisten schmerzte es mich allerdings, daß sie meine geliebte Puppe verbrannte. Sie dachte, daß ich den Fisch vergessen hatte, weil ich mit der Puppe gespielt hatte. Das stimmte zwar gar nicht, aber natürlich wollte ich meiner Mutter nicht sagen, daß ich draußen auf der Straße gewesen war. Sie rief: „Alles nur, weil du mit dieser verdammten Puppe gespielt hast …“ und verbrannte sie. Ich weinte sehr.

Die Zeit verging, meine Mutter arbeitete nach wie vor, und alles blieb beim Alten. Während sie bei der Arbeit war, beaufsichtigte ich meine beiden jüngeren Geschwister. Mit zwölf Jahren erledigte ich bereits die Einkäufe auf dem Markt. Meine Geschwister konnten zur Schule gehen und lernten lesen, denn ihre Geburtsurkunden hatte meine Mutter ja. Auch meine Freundin Pichiusa von gegenüber konnte lesen – nur ich nicht. Besonders schlimm war es, als meine jüngere Schwester, Emma, die schon in der dritten Klasse war und lesen konnte, zu mir sagte: „Wie dumm diese Schwarze ist!“ Darüber war ich sehr traurig.

Ich wollte unbedingt lesen lernen. Meine Mutter malte mir Buchstaben auf ein Stück Pappe und schlug mich, wenn ich sie nicht lesen konnte – so sollte ich das Alphabet lernen. Sie wollte, daß ich ihr zuhöre, doch ich war ganz nervös. Ich hatte so viel Angst vor den Schlägen, daß ich mich nicht auf die Buchstaben konzentrieren konnte, die sie mir beibringen wollte. Außerdem war ich böse auf sie, weil sie mich nicht zur Schule schicken wollte. Deshalb verlangte ich, sie solle mich zu meinem Vater schicken, was sie noch mehr aufregte. Wenn ich wegginge, würde ja niemand auf meine Geschwister aufpassen, wenn meine Mutter bei der Arbeit war. Mein Stiefvater, der aus der Provinz Ayacucho[13] stammte, gab ihr manchmal etwas Geld. Es war allerdings nicht viel, denn er war ziemlich geizig. Darunter litt meine Mutter ebenfalls.

Zu dieser Zeit nahmen wir wieder Kontakt zur Patentante meiner Schwester, Doña Maruja, auf und gingen sie manchmal besuchen. Sie nannte mich „schwarzes Prinzeßchen“, und ich sagte „Tante“ zu ihr, obwohl sie ja eigentlich die Patentante meiner Schwester war. Eines Tages sagte sie zu meiner Mutter: „Ich möchte mein schwarzes Prinzeßchen bei mir haben, denn es ist schon groß.“ Vorher hatte ich ihr leise gesagt: „Tante, ich möchte lesen lernen. Meine Mutter schickt nur meine kleinen Geschwister Emma und Julio zur Schule, und ich bin schon groß und kann nicht lesen. Wie soll ich denn später einmal Arbeit finden?“ Da antwortete meine Tante mir: „Ich werde dich in die Schule schicken. Du mußt aber deiner Mutter sagen, daß du zu mir kommen willst. Es soll von dir ausgehen, sonst sagt deine Mutter hinterher, ich hätte dir einen Floh ins Ohr gesetzt. Fang an zu heulen und sag' ihr, daß du bei deiner Tante wohnen willst. Dann kommst du mit zu mir, und ich schicke dich zur Schule.“

Ich verhielt mich wie besprochen, denn meine Tante hatte ja gesagt, daß sie mich in die Schule schicken würde. Meine Mutter und meine Tante unterhielten sich gerade, da platzte ich hinein, baute mich vor meiner Mutter auf und sagte: „Mama, ich will mit zu meiner Tante gehen.“ Sofort antwortete sie: „So, so, zu deiner Tante willst du also – und was wird aus deinen Geschwistern?“ Ich beharrte darauf, daß ich zu meiner Tante ziehen wolle, und fing an zu weinen. Ich wollte ja unbedingt lesen lernen. „Kein Problem, ich kann sie mitnehmen“, sagte meine Tante. „Sie kann morgen oder übermorgen zu mir kommen.“ Und so zog ich in ihr Haus. Sie meldete mich in einer Privatschule im Stadtteil Lince[14] an. Der Unterricht fand abends statt, von 17 bis 20 Uhr.

## Tagsüber arbeiten, abends zur Schule

Erst mit zwölf Jahren begann ich also in die Abendschule zu gehen. Wenn die Kinder um fünf Uhr nachmittags aus der Schule kamen, fing für uns Ältere der Unterricht erst an. Tagsüber arbeitete ich im Haus meiner Tante. Die Arbeit war sehr hart. Ich mußte die Wäsche meiner Tante und ihrer vier Kinder waschen, während die Kleider meines Onkels und die Bettwäsche von der Köchin gewaschen wurden. Außerdem mußte ich bohnern, bis der Fußboden glänzte. In Miraflores sind die Häuser ja bekanntermaßen riesig, die reinsten Villen.

Ich glaube, ich habe damals sehr schnell bemerkt, daß meine Tante kein Interesse an mir als Person hatte, obwohl sie vorher so zärtlich getan hatte. Für sie war ich ein Hausmädchen, dem sie nichts zu zahlen brauchte. Als ich in ihr Haus kam, mußte ich viele Schläge und Mißhandlungen ertragen. Trotzdem wollte ich nicht nach Hause zurück, denn immerhin konnte ich zur Schule gehen. Die Schule befand sich nicht weit vom Haus meiner Tante entfernt. Zu dieser Zeit gingen viele Dienstmädchen abends noch in eine Privatschule.

Im Haus meiner Tante erlebte ich so manches. Im Eßzimmer durfte ich nur dann essen, wenn mein Onkel zuhause war. Er hieß Julio, und ich werde ihn immer in guter Erinnerung behalten. Er sagte, ich sei wie eine Tochter für ihn, weil er mich von klein auf kannte. Wo seine Kinder aßen, sollte ich auch essen. Wenn er da war, erlaubte meine Tante mir also, mich zur Familie an den Tisch zu setzen. Mein Onkel hatte eine Transportfirma, er brachte Bananen und Mangos nach Lima. Wenn er mit den LKWs unterwegs war, kam er drei oder vier Tage nicht nach Hause. Da ich in den ersten Tagen zusammen mit der Familie im Eßzimmer gegessen hatte, wollte ich mich gerade mit meinem Teller an meinen Platz setzen, als meine Tante einen Löffel nach mir warf: „Ab in die Küche! Wer hat dir erlaubt, dich an unseren Tisch zu setzen?!" Beschämt ging ich hinaus. Als dann mein Onkel wieder zum Mittagessen kam und ich in der Küche aß, kam sie und zog mich an den Zöpfen: „Was fällt dir ein? Was wird dein Onkel sagen? Komm sofort an unseren Tisch! Wenn dein Onkel da ist, setzt du dich gefälligst ins Eßzimmer!"

Manchmal kam meine Mutter mich nachmittags besuchen, und dann aßen wir auch alle zusammen. Um 16 Uhr gab es bei meiner Tante immer Brötchen mit Butter und Käse, außerdem einen cremigen Pudding. Maruja, ein Hausmädchen, das genauso hieß wie meine Tante, bereitete alles vor. Normalerweise war ich natürlich nicht mit von der Partie. Nur wenn meine Mutter kam, bekam ich auch einen Teller und durfte mich dazusetzen. Meine Tante wollte sie nicht verärgern. Am liebsten wäre es mir gewesen, wenn meine Mutter jeden Tag gekommen wäre.

Ich wurde dreizehn Jahre alt und blieb trotz der schlechten Behandlung im Haus meiner Tante, weil ich unbedingt lesen lernen wollte. Wäre ich zurück zu meiner Mutter gegangen, hätte ich nicht länger zur Schule gehen können. Ich war inzwischen in der zweiten Klasse. Meine Tante kaufte mir nur Schreibhefte, aber niemals Schulbücher. Sie fand, ich könne aus der Zeitung „El Comercio“[15], die mein Onkel kaufte, lesen lernen. Wenn ich Bücher brauchte, mußte ich sie mir von den anderen Mädchen leihen. Auch Kleidung kaufte sie mir nur selten, worunter ich in diesem Alter besonders litt. Ich erinnere mich an ein sehr hübsches Seidenkleid, das sie mir nähen ließ. Es blieb aber fast immer im Schrank, ich durfte es nur anziehen, wenn mein Onkel oder meine Mutter da waren.

Sonst mußte ich immer eine Stoffschürze mit Karomuster tragen. Später habe ich nie wieder karierten Stoff gekauft, nicht einmal für die Kindergartenkittel meiner Töchter. Mit dieser blöden Schürze schickte meine Tante mich überall hin, sie fand nichts dabei. Die Schürze hatte vorne zwei Abnäher und hinten eine Schleife zum Zusammenbinden. Dazu trug ich Sandalen, nur selten bekam ich richtige Schuhe. Wenn sie mich zum Einkaufen schickte, schaute meine Tante auf die Uhr. Meistens fand sie, daß ich zu lange gebraucht hatte, und es setzte Ohrfeigen.

In der Schule war ich die einzige Schwarze. Was ich auch tat, die anderen Mädchen sagten: „Sehen Sie mal, Fräulein, die Schwarze tut dies und jenes.“ Immer ärgerten sie mich. Oft hatte ich mit den Problemen der anderen nichts zu tun, wurde jedoch am Ende als einzige bestraft. Die Lehrerin war grausam, sie zwang mich, zunächst auf Maiskörnern und dann auf Kronkorken zu knien. Sie tat es so oft, daß meine Knie verletzt und vernarbt waren. Manchmal blutete ich. Die Lehrerin war der Meinung, ich sei ein sehr unruhiges Kind. Ich glaube das nicht, vielmehr war meine Umgebung rassistisch. Wenn ein anderes Mädchen etwas tat, mußte es nur in der Ecke stehen, während ich grundsätzlich viel härter bestraft wurde. Trotz allem ging ich gern zur Schule. Ich versuchte, mich mit niemandem anzulegen. Deshalb setzte ich mich in die hintersten Bänke, war sehr schüchtern und sprach mit niemandem. Wenn ich beschuldigt wurde, weinte ich, statt mich zu verteidigen. Mein Lieblingsfach war Geschichte.

Da ich mich im Haus meiner Tante nicht wohlfühlte, suchte ich die Zuneigung der Lehrerin. Ich war immer in ihrer Nähe, um den Bleistift oder die Kreide für sie aufzuheben, wenn sie ihr herunterfielen. Nach und nach gewann ich ihre Sympathie, und sie behandelte mich nicht mehr so schlecht. Wir hatten zudem zwei verschiedene Lehrerinnen, die sich abwechselten. So hatte ich manchmal die „Böse“ und dann wieder die, die mir besser gefiel.

Mit vierzehn Jahren meldete meine Tante mich von der Schule ab. Sie sagte, ich hätte jetzt buchstabieren gelernt und könne die Einkäufe auf dem Markt erledigen. Außerdem behauptete sie, es gebe jetzt mehr im Haus zu tun. Somit konnte ich nur drei Jahre lang die Schule besuchen, obwohl ich gerne noch mehr gelernt hätte. Darüber war ich sehr ärgerlich und faßte den Entschluß wegzulaufen. Eines Tages gab mir meine Tante eine Tracht Prügel, die mir noch heute im Gedächtnis ist, obwohl sie mich oft schlug. Sie bestrafte mich, weil ich viel zu bügeln hatte, mir aber ständig die Augen zufielen. Schließlich verbrannte ich einen ihrer schönen Unterröcke und das Bügelbrett. Ich glaube, es war ein Uhr morgens. Um mich zu wecken, legte sie mir das heiße Bügeleisen auf die Hand, und dann verprügelte sie mich brutal, weil ich eingeschlafen war. In dieser Nacht wartete ich, bis alle eingeschlafen waren. Um zwei Uhr früh machte ich mich ganz leise auf den Weg nach Hause.

Meine Mutter wohnte nicht mehr in Matute, sondern im Stadtteil Rímac.[16] Ich kannte den Weg, weil ich mit meiner Tante mehrmals dort auf Besuch gewesen war. General Odría hatte die Elendsviertel in Matute abreißen lassen. Die Bewohner wurden auf Militär-LKWs an den südöstlichen Stadtrand, nach Pamplona[17], gebracht. Auch meine Mutter verbrachte einige Zeit in Pamplona, war dort aber sehr unglücklich. Schließlich nahm meine Großtante Honoria, eine Schwester meiner Großmutter, sie bei sich auf. Sie wohnte in einer Dienstbotenwohnung auf dem Landgut „Buena Muerte“[18] in Rímac. Heute befindet sich dort die Avenida Alcázar.

Damals gab es eine Buslinie quer durch die Stadt. Sie fuhr von Miraflores über San Isidro und das Stadtzentrum zum Descalzos-Kloster in Rímac. Ich kannte die Route und begann die Avenida Petit Thouars entlangzulaufen, bis ich das Descalzos-Kloster erreichte. Dort setzte ich mich auf die Stufen und schlief ein. Als ich aufwachte, ging ich weiter, bis ich um sieben Uhr früh bei meiner Mutter war. Ich erzählte meiner Mutter rasch und unter Tränen, wie meine Tante mich zum Essen in die Küche geschickt hatte und wie sie mich mißhandelte. Aber sie sagte: „Wie konntest du deiner Tante das antun? Sie ist ein guter Mensch und hat dir Liebe und Erziehung zuteil werden lassen. So zahlst du es ihr heim?“ Aber schließlich verstand sie mich. Bald traf meine Tante ein. Beim Aufwachen hatte sie überrascht festgestellt, daß ich nicht da war, und mich zu suchen begonnen. Sie beschwerte sich bei meiner Mutter: „Siehst du, was dieses Mädchen angestellt hat?!" Aber meine Mutter hatte meine Version ja schon gehört und unterstützte mich. Später wurde mir klar, warum sie wollte, daß ich bei ihr blieb: Ich war jetzt schon älter und würde ihr nun viel nützlicher sein. Sie verkaufte damals Tamales[19], Maisrouladen.

Meine Tante beharrte: „Delia, du mußt wieder mit zu mir kommen, wenigstens bis Ende des Monats, damit ich mir eine andere Haushaltshilfe suchen kann." – „Nein, hier wird Delia auch gebraucht. Sie soll hierbleiben, wo sie nun einmal hergekommen ist. Sie soll selbst entscheiden, ob sie gehen möchte. Ich werde sie jedenfalls nicht rauswerfen", antwortete meine Mutter. Meine Tante wandte sich mir zu und flötete: „Mein schwarzes Prinzeßchen, verzeih mir, verlaß mich nicht. Laß uns mit dem Auto zurückfahren." Ich aber hatte mich schon entschieden: Ich würde um nichts in der Welt zurückkehren. „Nein, Tante, ich bleibe hier. Vielen Dank für alles." Sie versuchte mich noch einmal umzustimmen: „Hier wirst du wieder Tuberkulose bekommen. Du wirst eine Last für deine Mutter sein, ein weiteres Maul, das sie zu stopfen hat. Denk doch mal nach, meine Kleine, bei mir hast du zu essen ..." Die Behausung in Rímac war sehr ärmlich, verglichen mit ihrem Haus in Miraflores, aber ich sagte: „Ich bleibe trotzdem hier. Ich werde meiner Mutter bei der Arbeit helfen." Und ich blieb.

## Die Annäherungsversuche meines Stiefvaters

Wir bereiteten samstags Maisrouladen zu und verkauften sie auf der Straße. Ich lief immer voraus und rief laut: „Tamales, Tamales!" Meine Mutter hatte sich vom Vater meines kleinen Bruders getrennt und hatte jetzt drei Kinder zu versorgen. Sie lernte damals einen Mann aus der Stadt Chiclayo[20] kennen, mit dem sie dann zusammenlebte: Don Antonio, ein übler, unverschämter Kerl. Er mißhandelte meine Geschwister und mäkelte am Essen herum. Einmal fragte meine Mutter uns Kinder: „Was wollt ihr essen?" Ich rief gleich: „Bohnen!" Also versprach meine Mutter, Bohnen zu kochen. Mein Stiefvater hörte das und brüllte wütend: „Ich bin hier der Geldverdiener, und es wird gegessen, was ich sage. Ich will Beefsteak essen!" Meine Mutter wollte keinen Streit anfangen, obwohl sie damals auch arbeitete. Um das Problem zu lösen, kochte sie Bohnen mit Beefsteak. Sie servierte meinem Stiefvater einen dampfenden Teller Beefsteak mit Zwiebeln. Wir bekamen Bohnen, wie wir es gewünscht hatten. Als er sah, was sie uns zu essen gab, sprang er wie ein Verrückter vom Tisch auf, riß meiner Mutter den Teller weg, kippte die Bohnen auf den Boden, trampelte darauf herum und schrie: „Hier wird gegessen, was ich sage, zum Teufel, und nicht, was die Göre will." Weil meine Mutter diesmal seine Anweisungen nicht befolgt hatte, war er voller Haß.

Wenn ich in der Nähe meines Stiefvaters vorbeiging, grapschte er manchmal nach mir und tat dann so, als sei nichts gewesen. Mein erster Stiefvater war ganz anders gewesen. Er hatte mich in Ruhe gelassen und freundlich behandelt. Niemals war er zudringlich geworden. Aber Don Antonio versuchte immer, mich anzufassen, vor allem meine Beine. Wenn ich an seinem Stuhl vorbeikam, berührte er absichtlich mit seinen Knien meinen Po. Eines Morgens, als meine Mutter schon früh auf den Markt „La Parada"[21] gefahren war, um die Zutaten für die Tamales zu besorgen, erhob sich mein Stiefvater nackt und rief mich in sein Bett. Schnell rannte ich nach draußen auf den Acker, er hinter mir her. Ich bewarf ihn mit einem Stein, aber er erwischte mich und verprügelte mich brutal. Ich hatte eine Wut auf ihn. Meine Mutter merkte nichts von alledem, so verliebt war sie.

In der Nähe wohnte auch Augusto, der Sohn meiner Großtante Honoria, der ähnliche Verhaltensweisen an den Tag legte. Wenn er Ohrenschmerzen hatte, fragte er meine Mutter: „Könnte Delia mir die Ohren saubermachen?" – „Nun mach' schon, Töchterchen", ordnete sie an. Meine Mutter war völlig ahnungslos. Damals hatte ich schon kleine Brüste, und Augusto versuchte, sie mit seinen Lippen durch die Bluse hindurch zu berühren. Ich versuchte, ihn auf Abstand zu halten. Manchmal rächte ich mich auch, indem ich ihn ins Ohr kniff. Wenn ich mich weigerte, ihm die Ohren zu reinigen, schimpfte er mit mir und behauptete, die Kinder müßten den Erwachsenen immer gehorchen. Ich beschwerte mich bei meiner Mutter und sagte ihr, daß Augusto immer auf meine Bluse sabberte. „Na, hör mal", schalt sie ihn, „laß das bleiben! Mach' dein Maul zu, wenn das Mädchen dir die Ohren reinigt." Sie konnte sich einfach nicht vorstellen, was der Sohn meiner Großtante beabsichtigte, und als ich ihr erschrocken erzählte, was ihr Mann so trieb, schimpfte sie mich aus und sagte: „Im Haus deiner Tante hast du wohl dieses Kokettieren gelernt." Sie glaubte mir nicht, daß er mir nachgestellt hatte.

Das zweite Mal war es noch schlimmer. Meine Mutter war gerade einkaufen gegangen. Mein Stiefvater pinkelte absichtlich in den Nachttopf und rief, ich solle ihn ausleeren. Ängstlich bat ich ihn, den Topf vor die Schlafzimmertür zu stellen, aber er beharrte: „Komm den Nachttopf holen. Wenn du nicht sofort kommst, setzt es Prügel." – „Don Antonio, bringen Sie ihn heraus. Ich werde nicht ins Zimmer kommen", wiederholte ich in panischer Angst. Er schrie: „Ich habe dir etwas befohlen, zum Teufel!" – „Dann stellen Sie ihn wenigstens in die Nähe der Tür", sagte ich. Ich hatte große Angst, daß er die Tür verriegeln würde, wenn ich erst im Zimmer war, und dann mit mir tun würde, was er wollte. Er rückte den Nachttopf etwas näher und packte mich an den Haaren, um mich ins Zimmer zu zerren. Ich verteidigte mich, trat und kratzte ihn wie eine Katze. Auch er begann mich zu schlagen – inzwischen aus reiner Wut. Schließlich kam auch noch Augusto, der Sohn von Großtante Honoria, dazu, mit dem ich die gleichen Probleme hatte wie mit meinem Stiefvater, und beide verprügelten mich.

Beide waren wütend auf mich und hatten sich zweifelsohne schon darüber unterhalten. Als sie mich schlugen, kam meine Großtante und fragte: „Was ist denn hier los? Wieso schlagt ihr das Mädchen denn?" Mein Stiefvater, der am Kopf blutete, weil ich einen Stein nach ihm geworfen hatte, gab zur Antwort: „Weil sie ungezogen und frech ist. Sie hat den Nachttopf nach mir geworfen." In Wirklichkeit war der Nachttopf umgekippt, als mein Stiefvater auf mich losgegangen war. Ich traute mich jetzt nicht mehr in das Schlafzimmer. Meine Großtante brachte mich in ihr Zimmer und begann, meine Wunden zu verbinden. An mehreren Stellen hatten mir die Schläge mit einem metallbeschlagenen Gürtel die Haut aufgerissen. Ich war sehr mitgenommen, hatte Fieber und wurde ohnmächtig. Als meine Mutter kam, erzählte ihr mein Stiefvater natürlich gleich seine eigene Version der Ereignisse. Sie stürmte ins Zimmer und rief: „Diese Göre werde ich versohlen ...". Glücklicherweise war meine Großtante dabei, die ihr sehr erbost zur Antwort gab: „Komm ruhig 'rein! Hier hast du deine Tochter und kannst das Werk vollenden, das dein Mann begonnen hat. Deiner Tochter geht es schlecht, sie hat Fieber und ist ohnmächtig. Bring' sie um, wenn ihr dann zufrieden seid!" Ich muß wohl wirklich sehr schlecht ausgesehen haben, denn als meine Mutter mich sah, fing sie an zu weinen.

Als es mir besser ging, entschloß ich mich, wieder als Hausangestellte zu arbeiten. Zuhause, bei meinem Stiefvater, konnte ich nicht bleiben. Ich sagte zu meiner Mutter: „Auch wenn du es mir nicht glaubst: Dein Mann will mich immer angrapschen, und deshalb gehe ich weg." Meine Schwester Emma war jetzt auch schon groß, und ich befürchtete, daß ihr dasselbe wie mir passieren würde. Deshalb sagte ich ihr, bevor ich ging, sie solle sich vor Don Antonio in acht nehmen. Meinem Bruder Julio trug ich auf: „Du mußt immer darauf achten, daß Emma nichts passiert."

Ich arbeitete im Haus eines Arztes. Seine Frau hieß Blanquita, und auch sie verprügelte mich. Damals waren die meisten Hausmädchen minderjährig, und unsere Chefinnen schlugen uns, wie es ihnen paßte. Ich arbeitete sechs Monate dort und kehrte dann wieder zu meiner Mutter zurück. Sie merkte endlich, was ihr Mann so trieb, und hatte beschlossen, sich von ihm zu trennen. Auch diesmal hatte sie wieder ein Kind aus der Beziehung, meine jüngste Schwester. Wir begannen, wieder zusammen Tamales zu verkaufen, aber ich sagte ihr von Anfang an: „Wenn dein Mann zu uns kommt, ziehe ich wieder aus." Also hatte sie keine Wahl, als sich mit ihm anderswo zu treffen, denn ich wollte ihn auf keinen Fall im Haus haben. Nachdem er mich so verprügelt hatte, begann sie zu begreifen, wie er wirklich war. Sie betrachtete jetzt alles mit anderen Augen und hörte auf meine Warnungen.

Schließlich trennte sich meine Mutter von meinem Stiefvater, und damit begann ein neuer Abschnitt im Leben unserer Familie. Damals hielt meine Mutter Hühner und Enten, und ich verkaufte die Eier. Ich brauchte nicht mehr mit meinem Korb durch die Straßen zu laufen und lauthals Maisrouladen anzupreisen, denn meine Mutter hatte inzwischen feste Kundschaft in der Avenida Abancay, etwa das Restaurant „Mezzanine". Die Tamales meiner Mutter waren wirklich hervorragend.

Eine richtige Kindheit habe ich eigentlich nicht gehabt. Erst mußte ich auf meine Geschwister aufpassen und meiner Mutter beim Tamales-Verkauf helfen. Als meine Mutter Hühner hielt, verkaufte ich die Eier. Meine Kindheit und Jugend sind dem alltäglichen Überlebenskampf zum Opfer gefallen. Ich weiß noch genau, wie hart das alles war.

# Die Soldaten kommen!

Eines Tages verließen wir das Landgut „Buena Muerte“ und zogen mit vielen anderen Familien auf ein nahegelegenes Stück Land, das chinesischen Einwanderern gehörte. Einige Zeit später forderten wir die Eigentümer auf, uns das Land zu verkaufen, um uns dort Häuser bauen zu können. Diese weigerten sich jedoch und versuchten, uns zu vertreiben. So begann der Konflikt. Nachts, als wir alle schliefen, kamen die Soldaten und rissen unsere Strohhütten ab. Es war furchtbar – wir hatten kein Dach mehr über dem Kopf. Die Soldaten kamen auf Pferden und banden Seile an die Hüttenpfosten, an denen sie zogen, um unsere Behausungen zu zerstören. Beim Verteidigen unserer Hütten fielen uns die Pfosten auf den Kopf. Die kleinen Kinder weinten. Uns älteren Kindern hatten die Mütter beigebracht, Steine zu sammeln und sie auf die Soldaten zu werfen. Es war ein sehr harter Kampf. Wir hatten ein Führungsgremium gewählt, und meine Mutter wurde Organisationsbeauftragte. Unser Vorsitzender saß lange Zeit im Gefängnis. Ihm wurde vorgeworfen, er habe sich Land angeeignet, aber das war die reinste Verleumdung. Inzwischen ist er gestorben und hat seinen Kindern nichts als das Häuschen hinterlassen. Wie wir alle kämpfte er um einen Ort, wo er leben konnte. Schließlich konnte die Verabschiedung eines Gesetzes im Parlament durchgesetzt werden, und wir bekamen endlich Land – jede Familie 90 Quadratmeter. Die Pläne für das Kataster wurden angefertigt, und so konnte ein neues Wohnviertel aufgebaut werden, das heute Leoncio Prado[22] heißt.

In dieser Zeit hatte meine Mutter Leute mit Verbindungen zur APRA[23] kennengelernt, denn der Kampf um bewohnbares Land wurde von dieser Partei unterstützt. Wie ich später erfuhr, hatte meine Mutter auch selbst ein Parteibuch. Einmal durfte ich bei einem Umzug zum Jahrestag der Parteigründung mitwirken. Ich trug einen grauen Rock und einen blauen Pullover und mußte weiße Stöckchen schwenken. Das war ein unvergeßliches Erlebnis. In dieser Zeit – Mitte der fünfziger Jahre – war die APRA-Führung Verfolgung und Inhaftierung ausgesetzt. Meine Mutter konnte als engagierte Kämpferin nicht mehr zuhause wohnen und mußte sich versteckt halten. Ich brachte ihr Kleidung und Essen an ihren jeweiligen Aufenthaltsort. Anfangs dachte ich, daß die APRA für die Sache der Armen kämpfte, und fühlte mich dort wohl. Als ich etwas älter wurde, lernte ich diese Partei allerdings näher kennen.

# Delia wird Arbeiterin

Mit vierzehneinhalb war ich wieder einmal auf Arbeitssuche. Zum ersten Mal in meinem Leben lernte ich das Fabrikleben kennen: Eine Tante brachte mich zur Konservenfabrik „Américas“ in Rímac. Wir mußten Fische putzen und arbeiteten bis spät in die Nacht. Dabei standen wir an einem großen Wasserbecken, schnitten die Fische auf, um die Innereien zu entfernen, und legten die Fische in kleine Körbe. Der Rogen kam in getrennte Behälter. Der gereinigte Fisch wurde durch Erhitzen zu Thunfischkonserven verarbeitet. Es gab keine geregelte Arbeitszeit. Der Fisch wurde manchmal erst um 15 Uhr angeliefert, und wir mußten dann bis 22 Uhr in der Fabrik bleiben, bis wir die gesamte Lieferung gesäubert hatten. Da wir immer naßgespritzt waren, hatte ich eine fürchterliche Bronchitis. Sie zahlten uns sehr wenig, je nach der Anzahl der Körbe, die wir geschafft hatten. In jeden Korb paßten acht Fische, und wir mußten mindestens zwölf Körbe täglich abliefern. Die Bezahlung war wirklich sehr schlecht.

Damals traten auch noch andere Probleme auf. Als ich gerade meinen fünfzehnten Geburtstag gefeiert hatte, erzählte mir der Fabrikbesitzer von einem neueröffneten Tochterunternehmen in der Stadt Chimbote.[24] Die Konservenfabrik gehörte zwei Brüdern und ihrem Vater. Einer der beiden Söhne, Señor Francisco, würde nach Chimbote gehen, um dort das Geschäft zu übernehmen. Der Vater ermutigte mich: „Du wirst einen Monat in Chimbote verbringen. Dort stellen wir dir Unterkunft und Verpflegung. Anschließend kommst du wieder zurück nach Lima.“ In Chimbote sollte ich andere Frauen einarbeiten, und ich würde acht Soles[25] pro Tag erhalten. Für mich war das damals viel Geld – ich würde so viel wie die Dienstälteste, Señora Dora, verdienen, obwohl ich noch ein junges Mädchen war. Guter Dinge machte ich mich auf den Weg nach Chimbote.

Ich erhielt dort ein kleines Zimmer. Eines Nachts kam Señor Francisco herein und wollte mit mir schlafen. Ich hatte noch gar keine sexuellen Erfahrungen und war zu Tode erschrocken. Meine anderen negativen Erlebnisse mit Männern wurden sofort wieder wach. So setzte ich mich zur Wehr, kratzte Señor Francisco und schrie so laut, daß der alte Pförtner der Fabrik an die Tür klopfte und fragte, was los sei. Ich sagte weinend: „Don Juanito, stellen Sie sich vor: Der Señor ist betrunken in mein Zimmer gekommen." Señor Francisco sprach mit dem Pförtner, und beide gingen fort.

Señor Francisco war sehr wütend, daß ich ihn so gekratzt hatte und nicht mit ihm hatte schlafen wollen. Am Tag nach diesem Vorfall warf er mich raus: „Du gehst jetzt, Scheißschwarze, hau' ab!" Was sollte ich jetzt tun? Ich hatte kein Geld, und Chimbote war für mich wie ein fremdes Land. Nie zuvor hatte ich Lima verlassen. Aber ich nahm all meinen Mut zusammen und traf eine Entscheidung: Wenn ich hätte bleiben wollen, hätte ich auf die Avancen von Señor Francisco eingehen müssen – und das brachte ich wirklich nicht über mich.

Glücklicherweise war Don Juanito, der Pförtner, sehr hilfsbereit. Er kam aus Santa, einem Ort in der Nähe von Chimbote. Er brachte mich zum Busbahnhof und lieh mir das Geld für die Rückfahrkarte. Auch riet er mir, dem alten Fabrikbesitzer zu erzählen, was Señor Francisco getan hatte. Das tat ich auch, als ich wieder in Lima war. Franciscos Bruder lachte, sein Vater aber wurde rot vor Zorn: „Du redest dummes Zeug. Wie kannst du so etwas von meinem Sohn behaupten? Was bildest du dir eigentlich ein? Mein Sohn soll ein Vergewaltiger sein? Diese kleine Schwarze hat eine Phantasie ..." Sie versuchten, die Sache herunterzuspielen und mich lächerlich zu machen. Ich sollte über die Geschehnisse schweigen.

Als ich neu in der Fabrik gewesen war, arbeitete ich in der Erste-Hilfe-Station, wo die Arbeiterinnen hingingen, wenn sie sich in den Finger geschnitten hatten. Die Fabrikbesitzer waren zunächst sehr nett zu mir, besonders Señor Francisco. Sie behandelten mich sehr freundlich und brachten mir manchmal Kleinigkeiten mit. Ich hielt sie für sehr gute Menschen und dachte, sie täten dies alles aus reiner Menschenfreundlichkeit, obwohl es wahrscheinlich Teil ihrer Strategie war. Als ich aus Chimbote zurückgekehrt war, bemerkte ich, daß sich ihr Verhalten geändert hatte und sie mich jetzt abweisend behandelten. Ich mußte mit den anderen Frauen am Bassin stehen und Fische putzen. Die Fabrikbesitzer schikanierten mich richtiggehend. Ständig wurde ich verwarnt, und wenn ich ein bißchen zu spät kam, ließen sie mich vor verschlossener Tür stehen. Es paßte ihnen nicht, daß ich aus Chimbote zurückgekommen war. Offenbar hatten sie erwartet, daß Señor Francisco dort eine sexuelle Beziehung mit mir anfangen würde und sie auf diese Weise eine Vertrauensperson im Werk hätten: mich, als „Frau" des Chefs. Zwar wäre ich wohl nicht zur Ehefrau avanciert, es hätte aber trotzdem eine Art von Vertraulichkeit gegeben. Ich glaube also, daß die Vorfälle in Chimbote von langer Hand geplant waren.

Der Wunsch, noch mehr zu lernen, hatte mich nicht verlassen. Bei der Arbeit hatte ich mit Menschen zu tun, die viel mehr wußten als ich. Manchmal sagten sie mir: „Lies doch mal das da.“ Damit hatte ich aber große Schwierigkeiten, denn ich war ja in der Schule nur bis zur dritten Klasse gekommen und hatte nicht viel Übung im Lesen. Das machte mir sehr zu schaffen, und deshalb wollte ich mich weiterbilden. Ich entschloß mich, nach Feierabend die Grundschule abzuschließen, und sprach mit der Rektorin des Colegio México, die sehr freundlich war. Trotz meiner fehlenden Geburtsurkunde erlaubte sie mir den Besuch ihrer Schule, und ich belegte den Abendkurs. So konnte ich endlich alle fünf Grundschuljahre absolvieren. Als junges Mädchen sah ich einmal in einem Aufzug zum Nationalfeiertag, zu dem meine Mutter mich mitnahm, einige Krankenschwestern mitlaufen. Mit ihrer weißen Arbeitskleidung und den blauen Mützen sahen sie so gut aus, daß ich auch Krankenschwester werden wollte. Später wollte ich lieber Rechtsanwältin werden, aber meine Mutter war dagegen, daß ich zur Universität ging.

Weil ich den Eindruck hatte, daß wir in der Konservenfabrik ausgebeutet wurden, suchte ich mir einen neuen Job. Ich hatte mich beim Fabrikbesitzer beschwert, weil die Bezahlung so niedrig war und wir bis spät in die Nacht arbeiten mußten, und ich fühlte mich sehr schlecht behandelt. Die Gold- und Silberschmiede „LAFI“ in der Avenida México stellte mich ein. Die Arbeit war weniger schmutzig, aber wir arbeiteten mit Säuren. Um das Gold formbar zu machen, mußte es erhitzt und in Säure gelegt werden. Dann nahmen wir die Gravuren vor. Die Säure verursachte bei uns schwere Gesundheitsprobleme. Mir war oft übel und schwindlig. Ich litt auch unter Brechreiz und konnte nichts bei mir behalten, so daß ich immer dünner wurde. Es ging mir sehr schlecht. Etwa neun Monate arbeitete ich dort, dann entschloß ich mich zu kündigen, weil es Probleme gegeben hatte. Ich hatte einer Patentochter meiner Mutter auch einen Job in der Goldschmiede verschafft. Sie hieß Jesusa und war eng mit mir befreundet. Jede Arbeiterin hatte eine abschließbare Schublade. Wenn ich auf die Toilette ging, ließ ich meinen Schlüssel bei ihr. Wir erhielten eine abgewogene Menge an Gold und Silber, und nach der Bearbeitung mußten wir exakt dasselbe Gewicht abliefern. Es durfte nicht einmal das winzigste Stückchen zu Boden fallen, selbst den Goldstaub mußten wir mit den bearbeiteten Schmuckstücken abliefern.

Meine Freundin Jesusa, zu der ich so großes Vertrauen hatte, spielte mir übel mit. Eines Tages ging ich wieder einmal auf die Toilette und gab ihr meinen Schubladenschlüssel. Es war unsere Gewohnheit, sie tat dasselbe und sagte immer: „Paß auf meine Sachen auf.“ Wir waren die besten

1960: Spaziergang mit Freundinnen und Freunden auf der Alameda de los Descalzos, Rímac

Freundinnen. Als ich aber diesmal von der Toilette zurückkam, fehlten drei Goldadler, Anstecknadeln für Piloten, die ich gerade geprägt hatte. Abends verwarnte mich meine Chefin, weil mir so viel Gold fehlte. Ich sagte ihr, daß ich nichts gestohlen hatte. Es war unmöglich, auch nur ein Gramm Gold aus der Fabrik zu schmuggeln, weil die Kontrollen sehr streng waren. Sie durchsuchten sogar die Vagina. Es gab eine Aufseherin, die uns beim Verlassen der Fabrik die Scham abtastete, auch wenn wir unsere Regel hatten. Deshalb weiß ich nicht, wie Jesusa es geschafft hat, die Anstecknadeln mitzunehmen.

Die Chefin glaubte mir nicht und wollte auch den Verlust nicht tragen. Daher berechnete sie den Wert des fehlenden Goldes und zog ihn uns vier Wochen lang vom Lohn ab. Ich wußte nicht, wo die Anstecknadeln waren, und war sehr unglücklich. Eine Kollegin sah mich weinen und sagte zu mir: „Hör mal, als du auf der Toilette warst und Jesusa deinen Schlüssel gegeben hattest, hat sie die Anstecknadeln an sich genommen. Ich habe es selbst gesehen." Aufgeregt ging ich gleich nach der Arbeit zu Jesusas Mutter und sprach mit ihr. Sie war sehr gutmütig und freundlich. Als ich alles erklärt hatte, bat sie mich, einen Moment zu warten, und holte die Anstecknadeln mit den Worten: „Sind es die?“ Es waren tatsächlich meine Goldadler. Sehr erleichtert bedankte ich mich bei ihr. Sie erzählte mir, daß Jesusa behauptet hatte, sie habe die Anstecknadeln bei der Arbeit geschenkt bekommen. Am nächsten Tag konnte ich meiner Chefin die Anstecknadeln zurückgeben. Das Geld, das sie uns abgezogen hatte, wollte sie uns aber nicht zurückzahlen. Wir bekamen also nur den halben Lohn. Die Abzüge betrafen drei Arbeiterinnen, Jesusa, María und mich, die wir nebeneinander gearbeitet hatten. Da ich die Goldadler zurückgebracht hatte, war ich der Meinung, daß uns die Abzüge erstattet werden müßten. Jesusa hatte ein schlechtes Gewissen und schwieg, aber ich beschwerte mich. Die Chefin sagte: „Na, du hast wohl immer was zu meckern?!“ Nach diesen Vorfällen fühlte ich mich dort nicht mehr wohl und kündigte bald.

So war ich also wieder einmal auf Arbeitssuche. Ich war inzwischen fast 18 Jahre alt und überlegte, ob ich noch einmal als Hausmädchen arbeiten sollte. Schließlich fand ich einen neuen Arbeitsplatz in der Kaffeefabrik „Zena“, wo ich sehr wenig verdiente, obwohl wir Akkord arbeiteten und viele Überstunden machen mußten. Ich hatte den Eindruck, daß unsere Lohnabrechnungen nicht stimmten und die Fehler immer zugunsten des Unternehmens ausfielen. In der Goldschmiede hatte ich ganz gut verdient, jetzt aber hatte ich wieder so wenig Geld. Zuvor hatte ich auch in kleinen Schneidereien gearbeitet, wo ich lernte, mit der Nähmaschine umzugehen. Im Gegensatz zur heutigen Zeit, wo es aussichtslos ist, einen Job zu finden, war das damals kein Problem. Wenn ich die Arbeit verlor, fand ich gleich eine neue Stelle. Paßte dir die Arbeit nicht, so suchtest du dir eine andere.

In dieser Zeit ging ich nicht mehr zur Schule, sondern arbeitete nur noch. Ich hatte die fünf Klassen der Grundschule abgeschlossen, wohnte bei meiner Mutter und half ihr finanziell aus. Es war eine harte Zeit, denn wir waren dabei, unser Haus zu bauen und mußten Ziegelsteine kaufen. Wir wollten ein Haus bauen, in dem wir uns wohlfühlen würden.

# Wenn das eine Ehe sein soll, will ich nicht verheiratet sein

Wie alle jungen Leute ging ich gern auf Parties. Jeden Samstag zog ich mit meinen Arbeitskolleginnen los. Auch unsere Geburtstage feierten wir zusammen. Das war die einzige Abwechslung. Sonntags ruhten wir uns aus, um am Montag wieder zur Arbeit zu gehen. Es war ein fester Rhythmus. Ich lernte gerne Leute kennen, hatte aber nur wenige wirklich gute Freundinnen. Viele Bekanntschaften schloß ich bei der Arbeit, aber wenn ich meinen Job wechselte, trafen wir uns meistens nicht mehr, weil wir dazu keine Zeit hatten. Eine besonders enge Freundin war Yolanda, die ich schon als Kind kennenlernte und mit der ich in der Konservenfabrik gearbeitet hatte. Wir gingen überall zusammen hin, sie war wie mein Schatten. Als ich nach Chimbote geschickt wurde, konnte sie allerdings nicht mitkommen, weil ihre Mutter es nicht erlaubte. Wir verließen die Fischfabrik gemeinsam. Ich mochte sie sehr. Meine anderen Freundinnen waren schon verheiratet. Yolanda und ich blieben allein.

Auf einem Fest im Vorort Callao lernte ich Roberto kennen, den ich bald darauf heiratete. Er war ein attraktiver junger Mann und stammte aus Callao. Ich war damals achtzehn Jahre alt und arbeitete in der Kaffeefabrik. Eines Tages verabredete ich mich mit ihm in der Nähe meines Hauses, um ein bißchen anzugeben und meinen Freundinnen zu zeigen, was für einen gutaussehenden Freund ich hatte. Unglücklicherweise sah uns stattdessen mein Onkel, der Bruder meiner Mutter, der ziemlich altmodische Vorstellungen hatte. Er packte meinen Freund am Arm, als ob er weglaufen könnte, und führte ihn zu uns nach Hause. Kaum sah er meine Mutter, da sagte er ihr: „Schau mal, wobei ich deine Tochter erwischt habe …" – und zwar mit einer Gebärde, als hätten wir etwas Verwerfliches getan. Meine Mutter fragte meinen Freund: „Was haben Sie vor? Wann heiraten Sie meine Tochter? Diese Sache muß geregelt werden." Ich rief: „Aber Mama, das kann doch nicht wahr sein!" – „Du hältst den Mund, schamloses Weib", antwortete sie mir. Mir war vorher schon einmal etwas Ähnliches passiert. Mein blöder Onkel entdeckte mich mit einem Jungen, der beim Militär war. Meine Mutter wollte uns damals auch zur Heirat zwingen, aber ich weigerte mich, heulte und machte ein Riesentheater. Deshalb sagte meine Mutter jetzt: „Du hast dich wohl schon daran gewöhnt? Willst du etwa, daß dich die Leute ständig mit einem anderen Mann sehen?" Als ob das eine Sünde wäre.

Ich kannte den Charakter meiner Mutter gut genug, um zu wissen, was für eine Ohrfeige ich mir einfangen würde, wenn ich ihr jetzt widersprach. Mein Freund war ziemlich eingeschüchtert, und so akzeptierte er ohne Widerrede: „Señora, ich habe Ihre Tochter sehr gern und werde sie heiraten." Ich wurde gar nicht gefragt, obwohl ich ihn nicht heiraten wollte. Roberto war es bisher nicht gelungen, von mir zu bekommen, was er wollte. Ihm kam das Ganze also sehr gelegen, und er wiederholte immer wieder: „Ja, ich habe dich gern, wir werden heiraten." So kam es, daß wir sechs Monate, nachdem wir uns kennengelernt hatten, bereits verheiratet waren. Natürlich kannte ich ihn nicht gut genug. Er war ein Mann mit zwei Gesichtern. Ich kannte nur die eine Seite, die er mir vor der Ehe zu zeigen bereit war. Als ich ihn kennenlernte, war er immer nüchtern und ein netter Kerl. Ich hätte nie gedacht, daß er brutal, jähzornig und unberechenbar sein konnte, wenn er getrunken hatte.

Als wir schon verheiratet waren, weckte er mich eines Nachts mit einem heftigen Faustschlag und brüllte wutentbrannt: „Wieso hast du dir den Mund angemalt? Wo warst du?!" Ein anderes Mal schlug er mich, weil ich angeblich seine Hosentasche nicht angenäht hatte. Oder er kam betrunken und voller Lippenstift nach Hause und behauptete, ich hätte ihm sein Geld geklaut. Er ging sehr gerne in die Hafenkneipen von Callao. Dort wurde er ausgeraubt, aber er gab mir die Schuld, wenn er kam.

Roberto schlug mich oft. Er war Maschinenbauingenieur und montierte Schiffsmotoren. Als der Fischfang Hochkonjunktur hatte, arbeitete er viel und verdiente gut. Je mehr er verdiente, umso mehr Geld gab er aber auch aus. Er war in Callao aufgewachsen und es gewöhnt, mit seinen Freunden auf Kneipentour und in Bordelle zu gehen. Er sagte, er kenne die Frauen: Wir seien das Allerletzte und würden immer lügen. Um nicht so viel zu trinken und Geld auszugeben, bat er mich anfangs, ihn von seiner Arbeit abzuholen. Ich sollte warten, bis er von der Werft kam, und mit ihm nach Hause gehen. Bald aber begann er, mit seinen Freunden zu entwischen, wenn er mich dort stehen sah, und ich hatte nicht einmal Geld für den Bus nach Hause. Von mir hatte Roberto nämlich verlangt, meine Arbeit aufzugeben. Er sei der Mann und müsse mich unterhalten, sagte er. Da er selbst aber sein Gehalt in Alkohol umsetzte, verkaufte er schließlich meine Sachen. Ich hatte mir, als ich noch arbeitete, goldene Ohrringe und eine Uhr gekauft. Er verkaufte das alles, damit wir zu essen hatten.

In dieser Situation wurde ich schwanger und erwartete Zwillinge. Aber als ich im vierten Monat war, verprügelte mein Mann mich dermaßen, daß ich die Zwillinge verlor. Ich fuhr in die Frauenklinik und sagte, ich sei gestürzt. Was wirklich geschehen war, mochte ich nicht erzählen. Mein Mann hatte mich unter Tränen angefleht, nichts zu sagen, denn er wäre ins Gefängnis gekommen. Der Arzt sah allerdings, daß mein Gesicht geschwollen und voller blauer Flecken war, und sagte: „Sie sind geschlagen worden." Ich log, um meinen Mann zu schützen. Kurze Zeit später war ich wieder schwanger, Roberto schlug mich wieder, es war nicht auszuhalten. Ich wurde immer wütender auf ihn. Ich muß sagen, daß ich niemals die Liebe spürte, die die Ehe angeblich begleitet. Meine Mutter hatte behauptet, daß sich die eheliche Liebe mit der Zeit schon einstellen würde, aber sie kam und kam nicht. Die Schläge bewirkten genau das Gegenteil.

Wieder einmal kam mein Mann betrunken nach Hause. Meine Tochter war erst kürzlich zur Welt gekommen, und ich hatte sie in eine Decke gewickelt. Er zog an der Decke und fragte: „Was ist denn das für eine Scheiße?" Schließlich rüttelte er so stark daran, daß das Baby durch die Luft flog und zu Boden fiel. Für mich war das der Gipfel, das Letzte. Als ich meine Tochter aufgehoben hatte, setzte ich mich zum ersten Mal zur Wehr. Mit dem Löffel, mit dem ich das Fläschchen zuckerte, ging ich auf ihn los und zerkratzte ihm das Gesicht. Ich wollte ihn umbringen. „Au, mein Gesicht", sagte er erschrocken. „Ich mach' dich fertig, du Arschloch, wenn du noch einmal die Hand gegen mich erhebst. Ich werde das nicht mehr zulassen", schrie ich. Und so war es dann auch. Jetzt verprügelte nicht mehr er mich, sondern wir uns gegenseitig. Ich griff mir, was gerade in der Nähe war, und zog es ihm über. Dabei kam ich zwar schlechter weg als er, er sah aber hinterher auch nicht gerade gut aus. Ich versuchte, ihm das Gesicht zu zerkratzen, denn ich wußte, daß Roberto so eitel war, daß ihn das am meisten traf. Als ich ihn das erste Mal gekratzt hatte, war mir das aufgefallen.

Eine Tante sagte zu ihm: „Wie kommst du dazu, dich von deiner Frau schlagen zu lassen? Wie sie sich aufführt! Die Frau muß die Schläge des Mannes einstecken, sonst ist sie keine richtige Frau. Wenn sie sich nicht bessert, dann nimm ein Messer und sag', daß du sie umbringen willst. Du wirst schon sehen, wie sie dann erschrickt." Mit diesen hervorragenden Ratschlägen ausgestattet, brachte mein Mann eines Tages ein Messer aus dem Haus seiner Tante mit. Zuvor hatte er sich im Stadtteil Surquillo[26] betrunken. Schließlich kam er in unsere Wohnung nach Rímac, weckte mich und verlangte sein Essen. Ich stand erschrocken auf und wunderte mich, daß er mich nicht schlug, wie es sonst so seine Art war. Voller Furcht beobachtete ich ihn und drückte mein Töchterchen an mich. Ich legte sie in eine Ecke des Zimmers und wärmte das Essen auf. Normalerweise sagte ich ihm: „Mach dir dein Essen selbst warm, was kommst du so besoffen nach Hause?!“ Aber diesmal stand ich gleich auf und wollte keinen Ärger. Er sah mich ganz merkwürdig an und aß.

Ich lehnte mich an die Leiter, die wir benutzten, um die Wäsche auf dem Dach aufzuhängen. Ängstlich beobachtete ich ihn und dachte: „Wieso schlägt er mich nicht? Irgendetwas führt dieser Kerl im Schilde.“ Er schwieg eine Weile und stand dann auf: „Du bist also ganz schön mutig, was? Es gefällt dir wohl, die Hand gegen mich zu erheben? Weißt du, was mit den mutigen Frauen passiert, die ihren Mann schlagen? Ich werde es dir zeigen ...“ Ich sah, daß er eine Hand in die Hosentasche steckte, mich starr ansah und schweigend auf mich zuging. Da erschrak ich und schrie. Ich warf die Leiter nach ihm, und er kroch wütend darunter hervor, mit einem riesigen Messer in der Hand. Aber ich bemerkte, daß er betrunken war und taumelte, so daß ich auf die Straße flüchten konnte. „Hilfe! Er bringt mich um! Bitte helfen Sie mir“, schrie ich. Glücklicherweise wohnte mein Bruder in der Nähe. Ich rannte zu seinem Haus und holte ihn, meine Mutter und einige Nachbarn. Mein Bruder nahm Roberto mit Hilfe der Nachbarn das Messer ab.

Nach diesem Vorfall faßte ich den Plan, mich von ihm zu trennen. Vor einem Monat hatte er das Baby zu Boden geworfen, und jetzt bedrohte er mich mit einem Messer. Wenige Tage später starb allerdings mein Schwiegervater, und da er schließlich nichts mit unseren Problemen zu tun gehabt hatte, wollte ich zur Beerdigung gehen und verschob die Auszugspläne. Roberto war zuerst dagegen, daß ich an der Beerdigung teilnahm. Er hatte seiner Schwester Elena erzählt, daß ich ihn gekratzt hatte, und behauptete, sie wolle mich nicht sehen. Da bat ich ihn, Elena auch zu sagen, daß er mich so verprügelte, daß ich ein blaues Auge und einen geschwollenen Mund hatte.

Etwa sechs Wochen später kam der Tropfen, der das Faß zum Überlaufen brachte. Elenas Hausangestellte sagte, sie müsse mit mir reden, und erzählte mir, daß seit einem Monat ihre Regel ausbleibe. Mein Mann war nach ihrer Darstellung in ihr Zimmer gekommen und hatte sie gezwungen, mit ihm zu schlafen. Sie war allerdings nicht so unschuldig, wie sie tat. Ich wußte, daß sie mit meinem Mann geflirtet hatte – manchmal sogar bedenkenlos in meiner Anwesenheit, ohne rot zu werden.

Als ich ihre Version gehört hatte, sagte ich nur zu ihr: „Du kennst mich und weißt, daß Señor Roberto verheiratet ist und eine Tochter hat. Du hast dich mit ihm eingelassen, weil ihr beide gleich schlimm seid. Da versteht ihr euch wohl ganz gut." Bevor sie antworten konnte, fügte ich hinzu: „Sag' meinem Mann, daß seine Kleider nebenan bei der Nachbarin sind. Ich gehe." Mit diesen Worten packte ich meine Sachen und verließ die Wohnung.

Diese beiden Ehejahre waren schrecklich, die schrecklichsten in meinem ganzen Leben. Ich erinnere mich noch an die Hochzeitsnacht, die viele Frauen so herbeisehnen. Roberto allerdings hatte sich an diesem Tag betrunken und mich zum ersten Mal verprügelt. Ich war noch nie mit einem Mann zusammengewesen und ziemlich schüchtern. Er riß mir brutal die Kleider vom Leib, und als ich zögerte, mit ihm zu schlafen, schlug er mich. So endete meine Hochzeitsnacht, nicht gerade lustvoll, sondern mit einer Menge Schmerzen und Schlägen. Auch später spürte ich in meinem Sexualleben weniger Liebe und Lust als vielmehr Angst. Immer war ich angespannt und wartete, bis es vorbei war. Ich ertrug es, weil Roberto ja mein Ehemann war. Zwei Jahre sind sehr lang, um Sexualität so zu erleben, aber andererseits wußte ich damals auch nicht, daß es schöner sein könnte. Ich sagte mir: „Wenn das Eheleben so ist, will ich nicht verheiratet sein."

Ich ging zurück zu meiner Mutter. Es gab einen Riesenkrach mit ihr, denn sie wollte mich nicht bei sich wohnen lassen. Die Ehe sei ein Bund für das ganze Leben, meinte sie. Natürlich teilte ich diese Vorstellung nicht. Sollte ich zulassen, daß dieser Mann mich umbrachte? Da ich nicht mehr weiter wußte, entschloß ich mich mit meinem Töchterchen zum Selbstmord. Es war kein Wunder, daß ich auf diese Idee kam, denn ich fühlte mich vollkommen alleingelassen. An der Steilküste im Stadtteil Magdalena[27] fanden zu dieser Zeit die meisten Selbstmorde statt. Ich fuhr mit der Straßenbahn dorthin und ging an den Klippen auf und ab, mein Töchterchen im Arm. Ohne daß ich es merkte, beobachtete mich eine Frau dabei und sprach mich schließlich an. Sie führte mich zur Jungfrauengrotte und erzählte mir dort ihre Geschichte. Sie hatte sehr jung geheiratet und einen einzigen Sohn gehabt. Auf einer Urlaubsreise in die Stadt Chiclayo verunglückten ihr Mann und ihr Sohn tödlich. Sie hatte resigniert, denn sie war eine alte Frau und konnte keine Kinder mehr bekommen. Durch den Unfall war sie völlig vereinsamt. Aber trotz allem hatte sie nie daran gedacht, sich das Leben zu nehmen. Sie gab mir zu verstehen, daß ich nicht das Recht hatte, auf diese Weise über mein Leben zu verfügen und schon gar nicht über das meiner Tochter. Sie brachte mich zum Weinen und zum Nachdenken.

Schließlich sagte sie zu mir: „Geh' nach Hause und rede mit deiner Mutter. Wenn sie dich nicht bei sich aufnimmt, kommst du zu mir." Mit diesen Worten gab sie mir ihre Adresse in Magdalena. Als ich bei meiner Mutter ankam, weinte ich und erklärte ihr meine Lage, so gut ich konnte. Erst schwieg sie lange, dann hörte ich sie sagen: „Du kannst bleiben, aber nur unter der Bedingung, daß du dir eine Arbeit suchst, mit der du dich und deine Tochter ernähren kannst. Ich möchte keine Dummheiten mehr, und du kommst mir auch nicht dauernd mit anderen Männern an." – „Ja, Mama", schluchzte ich und blieb bei ihr.

# Arbeiten und studieren – dafür habe ich gekämpft

Ich suchte also erneut Arbeit, was inzwischen etwas schwieriger geworden war. Schließlich wandte ich mich an Doña Maruja, meine Tante, die mich früher immer geschlagen hatte. Sie wohnte in der Avenida Larco in Miraflores. Zweimal wöchentlich half ich ihr beim Hausputz und bohnerte das Parkett. Ich wußte ja bereits, was ich zu tun hatte. Sie spielte mit ihren Freundinnen Canasta, und ich hatte die Aufgabe, Tee zu kochen und sie zu bedienen. Dafür bekam ich ein Trinkgeld, das vorne und hinten nicht reichte. Ich mußte davon mein Essen bezahlen, Milch für meine Tochter kaufen und auch meine Mutter ein bißchen unterstützen. Meine Situation war schwierig, und ich bat Doña Maruja, mir bei der Arbeitssuche zu helfen. Eines Tages lernte ich den Ehemann einer ihrer Freundinnen kennen, Dr. Olaf, der Geschäftsführer des Schering-Pharmawerks[28] in Lima war. Meine Tante hatte ihm von meiner Lage erzählt und gesagt, daß ich ein gutes Mädchen sei. Als sie mich dem Herrn vorstellte, sprach sie unablässig Empfehlungen aus und bat ihn, mir zu helfen. Ich hatte Glück, denn er bestellte mich gleich in die Fabrik: Am Montagmorgen sollte ich in sein Büro kommen. Als ich dort ankam, sagte er mir ohne Umschweife: „Du bleibst bei uns." Ich fing also, ohne lange zu warten, mit der Arbeit an. An diesem ersten Tag mußte ich zu Fuß vom Stadtteil Pueblo Libre[29], wo sich das Schering-Werk befand, nach Rímac laufen, weil ich kein Geld für den Bus hatte. Die ganze erste Woche über lieh ich mir Geld für die Hinfahrt und ging zu Fuß zurück. Nachdem ich meinen ersten Wochenlohn erhalten hatte, ging es mir besser. Ich hatte wieder Arbeit, verdiente Geld und fühlte mich langsam etwas wohler.

Mein Selbstbewußtsein kehrte zurück. Seit ich in dem Pharmawerk arbeitete, war auch mein Wunsch, mich weiterzubilden, wieder sehr stark geworden. Schon seit langem wollte ich Krankenschwester werden, und mein Job bei Schering verstärkte diesen Wunsch. Damals, in der ersten Amtsperiode von Präsident Belaunde[30], wurden vom Gesundheitsministerium experimentelle Studiengänge eingerichtet. Es gab noch freie Plätze für die Ausbildung zur Krankenschwester, und ich hörte, daß ein persönliches Vorstellungsgespräch die einzige Voraussetzung war. Ich zögerte nicht lange und bewarb mich um einen Studienplatz, den ich auch be-

1989: Schering Farmacéutica Peruana Avenida Bolivar, Lima

kam. Beim Vorstellungsgespräch war ich nach meinem Schulabschluß gefragt worden. Ich hatte schnell geantwortet: „Fünfte Klasse." Sie fragten nicht, ob ich die fünfte Klasse der Grund- oder der Realschule meinte.

Als ich bereits studierte und gerade ein Praktikum machte, sagte der ausbildende Arzt: „Señora, Sie müssen Ihre Unterlagen vervollständigen. Der Nachweis ihres Realschulabschlusses fehlt." Realschulabschluß? Ich hatte gedacht, der Grundschulabschluß sei ausreichend. Ich war bereits im zweiten Jahr der Krankenpflege-Ausbildung. Was sollte ich tun? Ich ging zum Colegio María Parado de Bellido[31] und wollte mich für die Realschulausbildung anmelden. Dort verlangten sie allerdings mein Grundschulzeugnis. Die Rektorin des Colegio México, das ich besucht hatte, hatte mir das Abschlußzeugnis der Grundschule mit den Worten übergeben: „Bewahre dieses Zeugnis gut auf, denn es ist sehr wichtig." Aber ich hatte es verloren und wußte nicht mehr, wo ich es hingelegt hatte. So ging ich zum Bildungsministerium, aber dort war mein Grundschulabschluß nicht registriert – lediglich die ersten drei Klassen, die ich als Jugendliche besucht hatte. Offenbar hatte die Rektorin des Colegio México mir damals nur den halben Gefallen getan. Ich konnte zwar inzwischen besser lesen, aber daß ich ihre Schule in Rímac besucht hatte, war nicht in den Akten vermerkt.

So konnte das nicht weitergehen. Ich entschloß mich, die vierte und fünfte Grundschulklasse noch einmal zu machen und auf das Colegio Mercedes Cabello[32] in der Nähe des Großmarktes zu gehen. Neben der Arbeit bei Schering studierte ich also Krankenpflege und besuchte gleichzeitig die Grundschule. Für mich war es eine Herausforderung, so viel wie möglich zu lernen. Ich sagte mir immer, daß ich unbedingt den Schulabschluß brauchte. Wie bei anderen Zielen, die ich mir gesetzt hatte, war ich sehr hartnäckig. Als ich die Grundschule abgeschlossen hatte, wechselte ich zum Colegio María Parado de Bellido, das sich in der Nähe unserer Wohnung in Rímac befand. So konnte ich das Fahrgeld einsparen und kam auch nicht so müde nach Hause. Hier machte ich meinen Realschulabschluß und konnte mir danach meinen Abschluß als Krankenschwester anerkennen lassen. Wenn ich es recht betrachte, war es ein ziemlicher Kampf, mein Ziel zu erreichen.

Ich hatte mir vorgenommen, vorwärts zu kommen. Krankenpflege wollte ich studieren, um eine Berufsausbildung zu haben und besser bezahlt zu werden. Mein Krankenpflegepraktikum machte ich im Krankenhaus von Chosica[33], wo mir hinterher auch eine Stelle als Krankenschwester angeboten wurde. Das hätte aber bedeutet, dort hinzuziehen und nur die Hälfte des Schering-Lohns zu verdienen. Ich stand also vor der Entscheidung, weiter im Pharmawerk zu arbeiten oder meinen Beruf auszuüben, und entschied mich aus finanziellen Gründen für ersteres.

Meine Ausbildung zur Krankenschwester war jedoch nicht umsonst gewesen. Ich begann, meinen Kolleginnen und Kollegen bei Schering gratis Spritzen zu verabreichen. Anderswo hätten sie für diese medizinische Dienstleistung teuer bezahlen müssen. Die Betriebsgewerkschaft forderte das Unternehmen auf, eine ausreichend qualifizierte Person mit dieser Aufgabe zu betrauen. Die Schering-Betriebsleitung ordnete an, ich solle einen Abschluß als Krankenschwester nachweisen. Wenn sie gedacht hatte, ich könne das nicht, hatte sie sich getäuscht. Später wurden auch einige andere Schering-Beschäftigte zu Kursen in medizinischer Grundausbildung geschickt. Aber meistens verabreichte ich die Spritzen. Ich hatte Freude daran, und meine Kolleginnen sagten, daß ich eine ruhige Hand hätte. Auch zuhause war mir meine Ausbildung von Nutzen. Wenn meine Kinder krank waren, mußte ich kein Geld für Spritzen ausgeben. Ich hatte gelernt, Medikamente zu verabreichen und den Blutdruck zu messen. So konnte ich ein Schild an unsere Haustür hängen: „Spritzen & Blutdruckmessung“. Das mußte ich allerdings bald wieder abnehmen, denn die Leute weckten mich mitten in der Nacht: „Señora, bitte kommen Sie und setzen Sie eine Spritze!“ Dabei mußte ich doch um sechs Uhr früh aufstehen, um rechtzeitig bei der Arbeit zu sein. Ich konnte ja nicht die ganze Zeit arbeiten, sondern brauchte auch einmal Erholung.

Die Arbeit bei Schering war hart. Wir hatten fast keine Pausen und arbeiteten von 7.30 Uhr bis 16.30 Uhr. Es gab nur eine halbstündige Mittagspause. Die Arbeit erforderte höchste Konzentration, aber auch Geduld und Fingerfertigkeit. Wir hatten keinen festen Arbeitsplatz, sondern mußten uns bei allen Tätigkeiten abwechseln. An manchen Tagen reinigte ich die kleinen Ampullen. Dazu wurden sie in Körbchen gelegt und dann die Ampullennadeln dazugetan, die auch in der Maschine waren. Die Maschine spülte die Ampullen mit einem Reinigungsmittel und destilliertem Wasser aus und trocknete sie anschließend mit einem Gebläse. Zur Desinfektion wurden die Ampullen schließlich hohen Temperaturen ausgesetzt.

Manchmal mußte ich in der Ampullenprüfung arbeiten, was viel Präzision erforderte. Wir Frauen erzielten hier bessere Ergebnisse. Das Unternehmen mußte uns nicht speziell ausbilden, da wir es schon als Mädchen gewöhnt waren, genau hinzusehen, wenn wir etwa die Steine aus dem Reis sortierten oder Strümpfe stopften. Einmal wollten unsere Kollegen in der Ampullenprüfung arbeiten, aber die Abteilung Qualitätskontrolle schickte die Charge zurück, so daß wir Frauen diese Arbeit wieder übernehmen mußten.

Ein anderes Mal füllte ich gerade ein Elixier ab, als die Maschine begann, die Flaschenhälse zu zerbrechen. Der Chemiker fragte bestürzt, ob etwa alle Flaschen kaputtgegangen seien, und trug mir auf, die Glasscherben aus dem Elixier herauszufiltern. Er ordnete an, daß ich zum Filtern nicht etwa eine Maschine, sondern den Lappen nehmen sollte, mit dem ich meinen Arbeitsplatz reinigte. Ich fand das unmöglich. Es war doch ein Putzlappen, der voller Bazillen war und so die Patienten gefährden würde. Also widersetzte ich mich der Anweisung des Chemikers und ging zum Werksleiter. Dieser sagte, ich hätte ganz richtig gehandelt, und rief den Chemiker ärgerlich zur Ordnung, der zu seiner Verteidigung vorbrachte, er habe das teure Elixier nicht wegschütten wollen. Aber den deutschen Werksleiter interessierte die Produktqualität und mich die Gesundheit der Patientinnen und Patienten.

Damals lauerte Roberto, mein ehemaliger Ehemann, mir nach Feierabend auf, wenn ich aus dem Werkstor kam. Er machte mir das Leben unmöglich und drohte damit, mir das Gesicht zu zerstechen. Obwohl wir uns getrennt hatten, belästigte er mich noch immer. Einmal mußte ich sogar die Polizei rufen, denn er warf Steine gegen die Haustür meiner Mutter und brüllte, ich sei seine Ehefrau und solle zu ihm zurückkehren. Mein Leben war also auch weiterhin schwierig, denn er ließ mich nicht in Ruhe. Ich war fertig mit den Nerven und weinte viel. Einmal sah mich Dr. Olaf und fragte, warum ich weinte. Da erzählte ich ihm von den Problemen mit meinem Ex-Mann und den schrecklichen Ehejahren. Ich hatte Glück, denn Dr. Olaf sagte, wenn ich mich scheiden lassen wolle, würde die Firma mich dabei unterstützen. Der Rechtsanwalt des Unternehmens half mir, und so erreichte ich meine Scheidung. Ich bekam sogar das Sorgerecht für meine Tochter. Das gab mir mehr Sicherheit, obwohl Roberto mich auch weiterhin belästigte. Allerdings wußte ich mich zu wehren. In der Gegend des Schering-Werks lagen damals genügend Steine herum. Nach einer Weile verlor ich Roberto aus den Augen. Als ich hörte, daß er zur Handelsmarine gegangen und nach Japan gereist war, konnte ich aufatmen. Ich fühlte mich nun nicht mehr von ihm bedroht und konnte mich anderen Dingen des Lebens zuwenden.

# Eine Frau – noch dazu eine schwarze – an der Spitze der Gewerkschaft: niemals!

Wenige Tage nach meinem Arbeitsbeginn im Schering-Werk rief mich Dr. Olaf in sein Büro: „Ich habe dir eine Stelle verschafft, und jetzt möchte ich dich bitten, einen kleinen Auftrag für mich zu erledigen. Es gibt hier ein Grüppchen, das eine Gewerkschaft[34] gründen will. Versuche, Zugang zu erhalten und finde vorsichtig heraus, wer die Anführer sind. Dann kommst du in mein Büro, um mir die Namen zu nennen. Ich muß diese Leute loswerden, sie stiften Unfrieden im Unternehmen." Er erklärte mir außerdem, daß das Unternehmen immer wie eine Familie gewesen sei. „So wie ich dich behandele, so behandelt das Unternehmen seine Beschäftigten." Seine Argumente waren ziemlich konfus. Es seien unsoziale Leute, die versuchten, Probleme zu machen. Meine Aufgabe sollte es sein, sie zu beobachten. Im ersten Moment wußte ich nicht, was ich sagen sollte. Aber was blieb mir anderes übrig als zuzustimmen?

Ich verspürte nicht das geringste Bedürfnis, hinter den anderen herzuspionieren und sie zu verpfeifen. Das hätte ich mit meinem Gewissen nicht vereinbaren können. Sie interessierten mich – aber nicht, um sie hinterher zu denunzieren, sondern um selbst Gewerkschaftsmitglied zu werden. Es war leicht herauszufinden, wer die Leute organisierte, denn meine Kolleginnen ließen die Katze aus dem Sack: „X und Y sagen, wir sollen unterschreiben." Die führenden Köpfe waren auch nicht sehr vorsichtig. Ich sah sie immer in Eile und beim Verstecken der Unterschriftenlisten. Eines Tages sprach ich sie an, ich wolle auch in die Gewerkschaft eintreten. Sie erschraken, denn sie wußten, daß meine Einstellung sehr unbürokratisch verlaufen war. Ich war nicht ärztlich untersucht worden. Wenn die Firma neue Leute einstellte, kamen immer mehrere auf einmal. Ich hingegen war ganz allein gekommen und hatte noch am gleichen Tag mit der Arbeit begonnen. Dr. Olaf selbst hatte die Sekretärin angewiesen, mir meine Arbeitskleidung zu geben und mir meinen Platz zuzuweisen.

Als der Tag der Gewerkschaftsgründung gekommen war, sprach ich sie noch einmal an: „Ihr werdet heute die Gewerkschaft gründen, das habe ich mitbekommen. Wenn ihr mich nicht aufnehmt, werde ich Dr. Olaf sagen, was ihr vorhabt." Ich wollte unbedingt Gewerkschaftsmitglied werden. Aber sie waren dagegen, gingen mir aus dem Weg und sagten, ich käme im Auftrag der Werksleitung und sei verdächtig. Schließlich begann ich, ihnen auf Schritt und Tritt zu folgen, und drohte ihnen: „Wenn ihr mich nicht unterschreiben laßt, verpfeife ich euch!“ Sie wollten mich nicht unterschreiben lassen, damit ich die Namen auf der Liste nicht sehen konnte. Sie dachten schlecht über mich, ließen mich am Ende aber doch unterschreiben.

Ich wollte auf jeden Fall in die Gewerkschaft eintreten, nicht etwa wegen des Auftrags des Geschäftsführers, sondern weil ich bereits in verschiedenen Fabriken gearbeitet hatte und Gewerkschaftsgründungen kannte. Ich wußte, daß die Gewerkschaft die Rechte der Arbeiterinnen und Arbeiter verteidigte. Mich hatte sie bisher allerdings nie verteidigt, weil ich nie Mitglied geworden war. Ich war immer entlassen worden, ohne meine gesetzliche Abfindung zu erhalten. Auch meine Lohnabrechnungen stimmten nicht immer. Wenn mir dieses Unrecht widerfuhr, hatte ich dagegen protestiert, jedoch erfolglos. Meine Arbeitskolleginnen sagten mir: „Siehst du – weil du nicht gewerkschaftlich organisiert bist.“ Ich wollte aber auch Gewerkschaftsmitglied werden, um neue Erfahrungen zu machen. Angst hatte ich nicht, denn als Gewerkschaftsmitglieder würden wir uns schon zur Wehr setzen. Ich wußte, daß die Gewerkschaftsmitgliedschaft mehr Sicherheit brachte. Dr. Olaf flößte mir zwar Vertrauen ein, aber ich wollte mich nicht von ihm benutzen lassen. Mir war klar, daß er der Chef und ich eine Arbeiterin war, das war die Realität. Daher zog ich es vor, auf der Seite meiner Kolleginnen und Kollegen zu stehen.

Am 29. November 1966, dem Tag der Gewerkschaftsgründung trafen sich alle im Parque Cueva, der sich am Ende der Avenida Bolívar befindet, um zusammen zur Gründungsversammlung zu fahren. Die Kollegen wollten mir erst nicht sagen, wo der Treffpunkt war. Da wurde ich laut und drohte wieder, sie bei der Werksleitung zu verpfeifen, wenn sie mich nicht mitnahmen. Sie hatten noch immer Bedenken, aber schließlich akzeptierten sie mich. Bei einem Arbeiter hatten sie einen Bus gemietet, und wir fuhren los. Nun bekam ich doch ein bißchen Muffensausen, war aber froh, daß ich mit meinen Kolleginnen und Kollegen mitfahren durfte. Obwohl ich nicht gerade schüchtern bin, habe ich natürlich schon manchmal Angst, wie andere Menschen auch, aber ich versuche sie zu überwinden, indem ich einen kühlen Kopf behalte.

Wir fuhren in den Stadtteil Breña[35], wo der APRA-nahe Gewerkschaftsdachverband CTP[36] seinen Sitz hatte. Bei der CTP gab es einen Verband der Betriebsgewerkschaften im Pharmabereich, und in dessen

Räumen gründeten wir unsere Gewerkschaft. Der Rechtsanwalt, der uns beriet, hatte mir gesagt: „Laß dich für den Gewerkschaftsvorstand aufstellen. Wenn das Unternehmen Leute entläßt, dann sind die Funktionärinnen und Funktionäre der Gewerkschaft nicht davon betroffen, denn sie genießen gesetzlichen Kündigungsschutz." Ich dankte ihm für diesen Ratschlag. Es gab auch tatsächlich einen Posten, den keiner der Männer übernehmen wollte, das Amt für soziale Angelegenheiten. Da alle anderen es ablehnten, nahm ich es an – eigentlich aus Angst um meinen Arbeitsplatz, so paradox das auch klingen mag.

Als der Schering-Geschäftsführer vom Arbeitsministerium die Unterlagen erhielt, die die Gründung einer Gewerkschaft in seinem Unternehmen dokumentierten, war er am meisten darüber überrascht, daß ich im Gewerkschaftsvorstand war. Dr. Olaf ließ mich sofort rufen und sagte: „Delia, ich habe dir mein Vertrauen geschenkt. Du solltest die Gewerkschaftsgründung beobachten, und jetzt bist du hier als eine der Funktionärinnen genannt." Ich hörte mit gesenktem Kopf zu, wie er mich zurechtwies. Dann nahm ich all meinen Mut zusammen und sagte: „Entschuldigen Sie, Señor, darf ich Sie daran erinnern, was Sie mir bei meiner Einstellung sagten? Der Gefallen, den Sie mir getan haben, endet, sobald ich anfange zu arbeiten." Ich erinnerte ihn an seine eigenen Worte: „Du mußt dir deinen Platz selbst verdienen, indem du gute Arbeit leistest und pünktlich kommst."

Er hatte mir damals gesagt, ich müsse selbst dafür sorgen, daß ich meinen Arbeitsplatz behielt. Die Geschäftsführer blieben nicht lange, weil sie von der deutschen Konzernzentrale alle zwei bis drei Jahre ausgewechselt wurden. Also konnte ein neuer Werksleiter kommen und mich auf die Straße setzen. Daran dachte ich jetzt. Sicher, ich hatte ihn betrogen, obwohl er mir die Stelle verschafft hatte. Verständlicherweise war aber der Wunsch, meinen Arbeitsplatz zu behalten und mich mit meinen Kolleginnen und Kollegen zusammenzuschließen, viel stärker als das Gefühl, ihm verpflichtet zu sein. Ich wollte nicht, daß mir das gleiche passierte wie früher. Also sagte ich: „Señor, diese Leute kämpfen darum, das Leben der Arbeiterinnen und Arbeiter ein bißchen zu verbessern. Deshalb bin ich in die Gewerkschaft eingetreten und habe Ihnen die Anführer nicht genannt." Er sah sehr wütend aus und kündigte an, ein ernstes Wort mit Doña Maruja zu reden. Er würde das nicht auf sich sitzen lassen. Gesagt, getan. Meine Tante ließ mich rufen und hielt mir eine Standpauke: Es sei ja beschämend, wie sie nun vor Dr. Olaf und dessen Frau dastünde, und ich sei daran schuld. Mir war das Ganze auch etwas peinlich, aber ich erklärte ihr: „Tante, ich habe nichts Böses getan. Eine Gewerkschaft ist dazu da, die Rechte der Arbeiterinnen und Arbeiter zu verteidigen, und deshalb haben wir sie gegründet."

Der Gewerkschaftsvorstand hatte sich konstituiert. Er bestand aus dreizehn Personen, zwölf Männern und mir. Bald wurde mir klar, daß ich in der Gewerkschaft nicht viel zu sagen haben sollte, jedenfalls in den Augen der männlichen Vorstandsmitglieder. Ich diente nur als Lückenbüßerin, damit alle Ämter besetzt waren. Keiner der Männer hatte das Amt für soziale Angelegenheiten übernehmen wollen, da es ihnen wie ein unnützer Ballast vorkam. Die Schering-Betriebsgewerkschaft bestand aus 41 Frauen und nur 13 Männern. Die männliche Minderheit stellte aber fast den gesamten Gewerkschaftsvorstand. Ich begann zu lernen, wie gewerkschaftliche Arbeit aussah.

Die männlichen Vorstandsmitglieder versuchten, mich zu ignorieren. Jedesmal, wenn ich etwas sagen wollte, bekam ich eine Abfuhr, was mich sehr wütend machte. Ich hatte mir angewöhnt, den Mund aufzumachen, wenn mir etwas nicht paßte, und das galt natürlich auch innerhalb der Gewerkschaft. Wir hatten viele Meinungsverschiedenheiten, vor allem über den Tarifabschluß. Der Gewerkschaftsvorstand führte die Tarifverhandlungen, ohne ein einziges Mal eine Vollversammlung einzuberufen. Erst, als der Tarifvertrag bereits geschlossen war, wurde die Basis darüber informiert, was sie erreicht hatten. Das kritisierte ich: „Wieso habt ihr denn nicht alle zusammengerufen, um sie zu fragen, ob sie mit dieser Lohnerhöhung einverstanden sind?" Sie wollten mich zum Schweigen bringen: „Du Besserwisserin! Der Werksleiter hatte dich geschickt, um uns auszuspionieren, und du hast dich darauf eingelassen. Jetzt ist dir das peinlich, und deshalb meckerst du die ganze Zeit herum." Das stimmte überhaupt nicht. Ich kritisierte das, was nicht in Ordnung war. Meine Kolleginnen sagten: „Du schaffst dir immer Feinde, Schwarze."

Im folgenden Jahr bekam ich keinen Posten im Gewerkschaftsvorstand mehr. Diesmal erklärte ein Kollege sich bereit, Sekretär für soziale Angelegenheiten zu werden. Trotz meiner Gewerkschaftserfahrung war ich als Frau unerwünscht. Bei meiner Kollegin Flor machten sie eine Ausnahme: Da sie eine schöne, deutliche Handschrift hatte, wurde sie zur Protokollführerin ernannt.

In den siebziger Jahren gab es Probleme. Wir verdienten wenig, und unsere Tarifabschlüsse lagen immer unter denen der anderen Pharmaunternehmen. Da wir einige Kolleginnen von anderen Firmen, wie Roussell oder Lusa, kennengelernt hatten, konnten wir unsere Löhne miteinander vergleichen. Wir verdienten nur halb so viel wie sie. Als wieder einmal Vorstandswahlen anstanden, kritisierte ich das: „Ihr müßt etwas tun, damit wir mindestens so viel wie die anderen Pharmabeschäftigten verdienen." Der Generalsekretär erwiderte: „Die Kollegin verhält sich nörglerisch und besserwisserisch. Wenn sie so viel auszusetzen hat, soll sie doch selbst etwas tun." – „Ich arbeite deswegen nicht, weil ich nicht im Vorstand bin, Kollege. Ihr seid die Funktionäre, und ich fordere euch auf, eure Sache besser zu machen", rief ich.

Viele von uns wußten, daß die Vorstandsmitglieder wieder unverändert nominiert werden sollten. Wir hatten allerdings schon seit einiger Zeit das Verhalten der Gewerkschaftsführer beobachtet, das egoistisch und ausschließend wirkte, und so schlossen sich einige Kolleginnen meiner Kritik an: „Ja, Delia hat recht!" Der Generalsekretär wurde sehr böse: „Hier wird nicht herumgeschrien und gesagt, was getan werden muß. Wenn ihr glaubt, daß ihr die Sache besser machen könnt als wir, gehen wir. Hier sind die Ämter, niemand von uns wird sie annehmen. Sollen die Kolleginnen doch machen, was sie wollen." Der Kollege sprang auf, die anderen elf Männer ebenfalls, und sie verschwanden. Unter dem Gewerkschaftslokal gab es eine Kneipe – da gingen sie hin, einer nach dem anderen. Wir warteten etwa eine halbe Stunde, ohne daß sie wiedergekommen wären. Meine Kolleginnen sagten zu mir: „Du hast den Krach angezettelt, also schau mal nach, was diese Kerle machen." Wir gingen nachsehen und fanden sie – wie erwartet – beim Bier. Als ich zurückkam, war ich sauer: „Das ist eine Frechheit, Kolleginnen, die Herren sind unten beim Saufen! Sie vertragen offenbar keine Kritik. Wir können ja auch alleine denken, oder etwa nicht? Laßt uns einen Vorstand wählen und selbst kämpfen, Kolleginnen. Sonst werden sie immer tun, wozu sie Lust haben, und wir werden nichts zu melden haben ..."

In der vorangegangenen Sitzung hatte sich ein ähnlicher Vorfall ereignet. Als Flor, die als Protokollführerin Mitglied des Gewerkschaftsvorstands war, es gewagt hatte, die Funktionäre zu kritisieren, hatten sie sie genauso auflaufen lassen. Niemals gaben sie ihr die nötigen Informationen oder bezogen sie in Beratungen ein. Wenn Flor einen der Beschlüsse nicht kannte, weil er ihr nicht mitgeteilt worden war, brüllten sie sie an. Die Kollegen akzeptierten keine Kritik von Seiten der Frauen. Flor nutzten sie nur zum Protokollführen aus. Auch sie unterstützte also die Idee, einen Frauen-Vorstand zu wählen. Nach Meinung der meisten Frauen sollte ich das Amt der Generalsekretärin übernehmen, da ich die Kollegen vertrieben hatte. Ich akzeptierte nur unter der Bedingung, daß sich auch andere Frauen zur Übernahme eines Vorstandspostens bereitfanden. Wir begannen eine Liste aufzustellen, die wir dann zur Abstimmung stellen wollten. Manche Frauen, die vorgeschlagen wurden, wollten sich mit dem

Argument entschuldigen, daß sie keine Erfahrung und keine Ahnung hätten. Um ihnen Mut zu machen und sie zum Mitmachen zu bewegen, erwiderte ich: „Ich weiß auch nicht, wie es geht, Kolleginnen. Aber wir werden es lernen und den Männern zeigen, daß sie sich nicht über uns Frauen lustig zu machen haben.“

Als wir gerade zur Abstimmung schreiten wollten, kam einer der Männer und wollte nachsehen, was wir taten. Sie hatten eigentlich darauf gewartet, daß wir herunterkämen, um uns auf den Heimweg zu machen. Als keine von uns Frauen kam, begannen sie, sich Sorgen zu machen. Es war bereits eine Stunde vergangen. Ihr Abgesandter, der uns bei der Wahl antraf, rief: „Das kann nicht sein, Kolleginnen. Ihr wählt, ohne daß ein Mann dabei ist?“ Wir antworteten sofort: „Der Posten des Sportsekretärs ist noch zu haben. Nimmst du die Kandidatur an oder nicht?“ – „In Ordnung“, sagte er etwas zweifelnd. Wir baten ihn, bis zum Ende der Versammlung oben bei uns zu bleiben. Wir hielten ihn also zurück, und er wurde gewählt. Seine Anwesenheit schien uns sehr wichtig, um einen großen Streit mit den Männern zu vermeiden. Trotz allem hatten wir nämlich vor ihrer Reaktion Angst.

Nach dem Ende unserer Versammlung benachrichtigte der von uns gewählte Kollege die anderen Männer. Wie sie die Nachricht wohl aufnehmen würden? Als erster betrat der frühere Gewerkschaftsvorsitzende den Raum, die anderen ehemaligen Funktionäre folgten ihm. Äußerst überrascht brüllte er: „Wie ist das möglich? Wer glaubt ihr, daß ihr seid, um einen Führungswechsel durchzuführen?“ Da stand ich auf und antwortete ihm: „Kollege, der Führungswechsel ist absolut gültig, denn der neue Vorstand wurde von der Mehrheit der Gewerkschaftsmitglieder gewählt. Insgesamt sind wir 54 Arbeiterinnen und Arbeiter, davon sind 13 männlich, und ein Mann ist eben gewählt worden. Die 41 Arbeiterinnen sind mit dem neuen Vorstand einverstanden. Ihr zwölf Kollegen seid leider in der Minderheit.“

Sie konnten nicht glauben, daß der Führungswechsel ohne sie stattgefunden hatte. Ein Kollege war vor Wut rot angelaufen und schrie: „Das ist völlig inakzeptabel!“ Er sprang auf und zog mit den anderen ab. Nach einer Weile kamen sie zurück und sagten: „Wir Kollegen haben uns eben entschlossen, aus der Gewerkschaft auszutreten, denn wir werden niemals eine Frau als Vorsitzende akzeptieren, und erst recht keine Schwarze!“ Als ich das hörte, fühlte ich mich sehr verletzt. Ich war betroffen und wußte nicht, was tun. Alle sahen mich erschrocken an, um zu sehen, wie ich reagieren würde. Ich spürte eine innere Kraft, vielleicht durch meine früheren Erfahrungen, und nahm all meinen Mut zusammen: „Gut,

Kollegen, reicht euren Austritt schriftlich ein. Die Sitzung ist bereits beendet. Wir werden eine weitere Versammlung einberufen." Am Ende brüllten mich die Männer an und beschimpften mich, unter anderem mit „Scheißschwarze".

Jetzt hatten wir Frauen also die Führung übernommen. Vor uns lagen viele Aufgaben, darunter die Tarifverhandlungen. Wir baten den ehemaligen Gewerkschaftsvorstand, uns die Unterlagen aus früheren Jahren auszuhändigen. Die Männer wollten uns aber überhaupt nichts geben, keinen einzigen Tarifvertrag und kein Sitzungsprotokoll. Sie wollten uns alles vorenthalten. Zur Begründung sagten sie: „Ihr habt euch wählen lassen, jetzt könnt ihr selbst sehen, wie ihr klarkommt." – „Nein, wir haben schließlich keine neue Gewerkschaft gegründet. Ihr müßt uns die Unterlagen geben", antworteten wir. Wir merkten, daß wir in puncto Gewerkschaftsarbeit noch viel lernen mußten. So begannen drei Kolleginnen und ich, die Schule für höhere Gewerkschaftsstudien zu besuchen, die die APRA-Partei eröffnet hatte. Damals war es in vielen gewerkschaftlichen Gremien zur Spaltung gekommen, aber wir hatten keine Ahnung davon. Daß es an der Plaza Dos de Mayo einen linken Gewerkschaftsdachverband namens CGTP[37] gab, wußten wir nicht. Wir kannten nur die APRA-nahe CTP und wandten uns an den dort angeschlossenen Verband der Pharmagewerkschaften. Ohne großen bürokratischen Aufwand wurden wir aufgenommen, allerdings nicht über die gewerkschaftliche Spaltung informiert. Wir arbeiteten mit den dortigen Sympathisantinnen und Sympathisanten der APRA-Partei zusammen, und so landeten wir in der Gewerkschaftsschule dieser Partei. Ich muß sagen, wir lernten dort eine ganze Menge.

Während der Tarifverhandlungen machten wir recht aufschlußreiche Erfahrungen, nicht zuletzt mit einem Rechtsanwalt, Dr. Cumpa, den wir im Dachverband CTP kennengelernt hatten und der uns anfangs eine große Hilfe war. Er war ein brillanter Anwalt und unterrichtete in der Schule für höhere Gewerkschaftsstudien. Die Tarifverhandlungen begannen, und einer der wichtigsten Punkte war die Sondervergütung. Im Jahre 1966, als ich bei Schering angefangen hatte, hatten wir für diese Zuwendung gekämpft, und es war tarifvertraglich festgeschrieben worden, daß das Unternehmen uns neben dem normalen Verdienst eine Sondervergütung in Höhe von 30 Tageslöhnen zu zahlen hatte. Aber inzwischen hatte Schering die Zuwendung faktisch auf 15 Tageslöhne reduziert, was gegen unsere Vereinbarung verstieß. Das Unternehmen schuldete uns also Geld. Der Anwalt, Dr. Cumpa, machte uns Mut: „Wie gut, daß euch dieser Punkt gleich aufgefallen ist. Ihr müßt das Unternehmen beim Arbeitsministerium anzeigen. Ich werde mich darum kümmern." Wir vertrauten ihm voll und ganz. Zum ersten Mal machten wir unsere Rechte geltend und hatten gleich einen so hilfsbereiten Mann gefunden, der uns im juristischen Bereich half, wo wir uns nicht auskannten.

Wir erhielten einen Termin beim Arbeitsministerium und wollten unserem Anwalt Ort und Zeit der Verhandlung mitteilen, konnten ihn aber nirgends finden. Schließlich mußten wir allein zum Arbeitsministerium gehen, wo wir zu unserer Überraschung den Anwalt vorfanden. Als ich ihn dort sitzen sah, begrüßte ich ihn erleichtert: „Wie geht es Ihnen, Herr Doktor?" Auch der Schering-Vertreter war bereits eingetroffen und unterhielt sich mit Dr. Cumpa. Ich sagte leise zu meiner Kollegin: „Schau mal, die haben sich aber schnell angefreundet!" Dr. Cumpa lächelte uns von seinem Platz aus zu, das flößte uns Vertrauen ein.

Ein Vertreter des Arbeitsministeriums eröffnete die Sitzung und bat die Anwälte der beiden Parteien, sich auszuweisen. Als er nach dem Anwalt des Unternehmens fragte, trauten wir unseren Ohren kaum: Dr. Cumpa wies sich als Schering-Anwalt aus. Wir waren vollkommen schockiert. Er kannte unsere Anzeige, hatte uns beraten, und wir hatten ihm vertraut. Ich kochte vor Wut. Offenbar hatte er das Unternehmen über unsere jüngsten Forderungen informiert, und Schering hatte ihn gleich unter Vertrag genommen. In der Verhandlung argumentierte er gegen das Gewerkschaftspapier. Wir dagegen hatten keinen Anwalt – es war schrecklich. Als mir das Wort erteilt wurde, verlor ich die Nerven. Statt unsere Beschwerde zu begründen, beschimpfte ich den Anwalt: „Sie sind scheinheilig und doppelzüngig, der mieseste Kerl, den ich je kennengelernt habe! Was sind Sie eigentlich für ein Mensch, daß sie erst die Gewerkschaft beraten und jetzt als Schering-Anwalt daherkommen? Sie ekeln mich an!" Ich spuckte aus.

„Hören Sie, Señora, so seien Sie doch vernünftig", rief der Vertreter des Arbeitsministeriums. Es gab einen gewaltigen Krach. Der Saal tobte, und ich wurde auf den Flur gebracht. Hier begann ich zu weinen und sagte immer wieder: „Eine Giftschlange ist dieser Mann!" Die Angestellten des Arbeitsministeriums versuchten, mich zu beruhigen. Sie rieten mir, in den Saal zurückzukehren und die Beschwerde der Gewerkschaft zu begründen. Dies sei erforderlich, damit das Verfahren vor dem Arbeitsministerium offiziell eingeleitet werden könne. Meine bisherigen Äußerungen seien nicht zu Protokoll genommen worden. Ich kehrte also in den Saal zurück, sah den Anwalt an, als wollte ich ihn umbringen, und begründete unsere Beschwerde in allen Einzelpunkten. Ich betonte, daß das Unternehmen uns weniger zahlte, als uns tarifvertraglich zustand. Wir gewannen den Fall.

Nach dieser Erfahrung mit der Illoyalität des Rechtsanwaltes ging ich zum linken Gewerkschaftsdachverband CGTP, denn ich hatte inzwischen von der Spaltung gehört. Ich fragte mich zum dortigen Verband der Pharmabeschäftigten, der FETLDA[38], durch. Unglücklicherweise war der damalige Generalsekretär, der der Kommunistischen Partei Perus (PCP)[39] angehörte, nicht sehr kooperativ. Vielleicht hatte er mich in Begleitung von Dr. Cumpa im Arbeitsministerium gesehen, als wir dort einige Formalitäten erledigten, oder einer der ehemaligen Schering-Gewerkschaftssekretäre hatte Fehlinformationen über mich verbreitet, ich weiß es nicht. Jedenfalls wollte der Generalsekretär nicht mit mir reden, und als ich ihn bat, mir zu erklären, wie die Spaltung der gewerkschaftlichen Gremien zustandegekommen sein, weigerte er sich. Aber ein anderer Funktionär, der sehr freundlich war, unterstützte uns bei unserem Tarifvertrag. Ich erzählte ihm, was wir mit dem Rechtsanwalt erlebt hatten. Als er merkte, daß wir Probleme mit dem APRA-Dachverband hatten, forderte er uns auf, bei ihnen mitzuarbeiten: „Ihr müßt den Generalsekretär schriftlich auffordern, eure Betriebsgewerkschaft aufzunehmen. Der Antrag muß von allen Mitgliedern eurer Gewerkschaft unterschrieben sein und dem Plenum der FETLDA vorgelegt werden. Dann werdet ihr bestimmt aufgenommen."

Wir folgten seinem Rat, beriefen eine Gewerkschaftsversammlung ein und bereiteten den Aufnahmeantrag vor, den ich persönlich auf dem Plenum der FETLDA einreichte. Der Generalsekretär konnte nicht verhindern, daß unsere Betriebsgewerkschaft aufgenommen wurde, aber er war stinksauer auf mich und sagte immer: „Kollegin, was sagt die Partei?" Damit wollte er andeuten, daß ich APRA-Mitglied sei, um so die anwesende linke Klientel gegen mich einzunehmen. Ich antwortete jedesmal: „Was für eine Partei, Kollege? Ich bin in keiner Partei und vertrete hier nur meine Gewerkschaft." Auf dem zweiten Kongreß der FETLDA, an dem ich als Delegierte teilnahm, forderte ich einen Finanzbericht über die Mitgliedsbeiträge der Betriebsgewerkschaften: „Kolleginnen und Kollegen, wie ist es möglich, daß unser Vorstand uns keine Abrechnung vorlegen kann? Wo ist das Geld, das wir eingezahlt haben?" Angeblich war nämlich nicht einmal das Geld für ein Flugblatt da. Wir hatten den Eindruck, daß unsere Beiträge nicht in der FETLDA-Kasse landeten, sondern dem privaten Konsum der Vorstandsmitglieder zuflossen. Der Generalsekretär erwiderte: „Halt' dein Maul, Kollegin! Bevor du hierherkommst, nimm gefälligst dein Parteiabzeichen ab. Ich habe dich gesehen!" Wann wollte

1980: Als Delegierte der FETLDA beim Kongreß der CGTP

er mich mit einem APRA-Parteiabzeichen gesehen haben? Das war eine glatte Lüge. Hinterher sprach ich ihn noch einmal an: „Wenn du intelligent gewesen wärst, Kollege, hättest du mich für deine Partei, die PCP, gewinnen können. Aber du bist so dumm, daß du mich herausdrängst, anstatt mich einzubeziehen."

Unter diesem Kollegen litt ich sehr. Einmal beauftragte er auf einem Gewerkschaftskongreß eine Kollegin, mich zu schlagen. Sie gehorchte und gab mir eine Ohrfeige. Der Kongreß war im vollen Gange, und wir prügelten uns. Später unterhielt ich mich mit der Kollegin, und wir kamen zu der Schlußfolgerung, daß wir benutzt wurden. Denn unseren Streit hatte ja eigentlich dieser unverschämte Kerl vom Zaun gebrochen. Das war eine häßliche Sache, und ich verließ weinend die Veranstaltung. Ich verstand nicht, wieso ich so behandelt wurde, obwohl ich ihm nichts getan hatte. Andererseits wollte ich auch nicht zum APRA-Dachverband CTP zurück. Es war mir nicht aufgefallen, daß ich die einzige Frau in der FETLDA war, die das Amt einer Generalsekretärin innehatte – offenbar schlug mir deshalb so viel Ablehnung entgegen. Die andere Kollegin, die mich geohrfeigt hatte, hatte das Amt für soziale Angelegenheiten in ihrer Betriebsgewerkschaft inne. Die Kollegin wurde akzeptiert, weil ihr Ehemann der Berater und Rechtsanwalt der Gewerkschaft war. Ich hingegen war Generalsekretärin meiner Betriebsgewerkschaft und kam immer in Begleitung von drei Kolleginnen aus unserem Gewerkschaftsvorstand. Ansonsten waren nur Männer anwesend.

Aber ich machte damals nicht nur schlechte Erfahrungen. So lernte ich etwa einen Funktionär einer Linkspartei kennen, mit dem ich die ersten Schritte auf dem Weg zur Parteipolitik ging. Leider machte dieser Genosse später eine ziemliche Kehrtwendung, denn er wurde 1986, als die APRA an der Regierung war, auf eine Vertrauensposition im Wirtschaftsministerium berufen. Er hieß Duncan und war, als ich ihn kennenlernte, Generalsekretär der Betriebsgewerkschaft der Firma FAST. Da er bemerkt hatte, daß der FETLDA-Vorstand mir ständig Steine in den Weg legte, lud er mich einmal in ein nahes Restaurant ein, das „El Chicharrón" hieß und sich neben dem Kino „Venecia" befand. Ich kam mit verheultem Gesicht dort an. Er bestellte mir einen Kaffee und sagte: „Beruhige dich, Kollegin." Ich versuchte ihm meine Probleme zu erklären: „Ich verstehe einfach nicht, wieso sie mich rausekeln wollen. Ich bin doch gar kein APRA-Mitglied, nur meine Mutter war mal in dieser Partei. Meine Gewerkschaft war früher im APRA-Dachverband, das stimmt, aber ich habe mit dieser Partei nichts zu tun, und so soll es auch bleiben." Ich hatte damals wenig Ahnung von Parteipolitik und war völlig verwirrt. Deshalb fragte ich Duncan: „Aber selbst wenn ich APRA-Mitglied wäre und käme mit meiner Gewerkschaft zu euch, müßte die FETLDA mich doch aufnehmen, oder?"

Obwohl er versuchte, mir die Sache zu erklären, verstand ich seine Ausführungen nicht richtig. Er sagte, das Problem sei die politische Situation in unserem Land, aber ich verstand nur Bahnhof. Nach und nach wurde es mir etwas verständlicher. Die Leute, die gegenwärtig den CGTP-Vorstand stellten, gehörten der Kommunistischen Partei an und versuchten, andere linke Kräfte aus der CGTP zu verdrängen. „Mich und die Leute von meiner Partei behandeln sie auch schlecht", sagte er. Der Kollege war Trotzkist. Am Ende des Gesprächs schlug er vor, sich jeden Montag mit mir zu treffen und mir politischen Unterricht zu geben. So würde ich verstehen, was innerhalb der Gewerkschaftsbewegung los sei. Einmal in der Woche erläuterte er mir nun die Grundlagen des Trotzkismus, und ich begann, die verschiedenen linken Positionen kennenzulernen, die es in Peru und auf internationaler Ebene gab. Langsam wurde ich auch zur Trotzkistin, und meine Auseinandersetzungen mit den Gewerkschaftskollegen nahmen einen politischen Charakter an. Ich konnte die Dinge jetzt beim Namen nennen und die Gewerkschaftsarbeit mit mehr

Verständnis und Gelassenheit angehen. Meine Zusammenarbeit mit den trotzkistischen Genossinnen und Genossen von der Gewerkschaft der Katholischen Universität begann in dieser Zeit. Der Trotzkismus hatte damals viel Zulauf, und sein prominentester Vertreter war Hugo Blanco.[40]

1975 wurde ich als Belegschaftsvertreterin in die Industriegemeinschaft[41], ein neugeschaffenes Mitbestimmungsorgan, entsandt. Im selben Jahr war General Morales Bermúdez an die Macht gekommen, und seine Regierung organisierte ein Symposium über die Industriegemeinschaft, an dem hauptsächlich Manager und Unternehmensvertreter teilnahmen. Ein Pharmavertreter forderte mich auf, mitzukommen: „Wir müssen zusammen hingehen, Schwarze. Du hast Gewerkschaftsarbeit gemacht und sitzt jetzt in der Industriegemeinschaft. Du kennst dich doch in dem Bereich aus. Hilf uns, dieses Mitbestimmungsmodell zu verteidigen!" Die dreitägige Veranstaltung fand in der Militärschule „Leoncio Prado" statt. General Morales Bermúdez[42] hielt einen Vortrag darüber, inwiefern das Modell der Industriegemeinschaft, das die Velasco-Regierung[43] eingeführt hatte, jetzt geändert werden sollte. Anschließend gab es eine Diskussion, und ich hielt eine Rede, als ob ich vor dem Gewerkschaftsdachverband stünde: „Sie wollen hier ein Gesetz in einem Bereich verabschieden, der bereits gesetzlich geregelt ist. Ihr einziges Ziel ist es, den Einfluß der Arbeitgeberseite in der Industriegemeinschaft noch weiter zu stärken. Ihr Vorgänger, Präsident Velasco, hat wenigstens noch etwas Rücksicht auf die Arbeiterinnen und Arbeiter genommen. Aber das alles soll jetzt mit einem einzigen Federstrich beseitigt werden. Das nenne ich Diktatur!" Das Publikum applaudierte.

Hinterher sagte der General drohend und haßerfüllt zu mir: „Sie können gut reden, Señora. Ich werde Sie noch viel mehr reden lassen, aber an einem anderen Ort." Er hatte den Soldaten befohlen, mich am Verlassen des Gebäudes zu hindern. Ich versuchte verzweifelt, hinauszugelangen. Schließlich gelang es mir, einem Wachsoldaten ins Gewissen zu reden, und er ließ mich laufen. Ich verließ das Symposium also schon nach zwei Tagen, weil ich wußte, daß ein Haftbefehl gegen mich lief. Sie kamen mich bei der Arbeit suchen, aber die Belegschaft schützte mich. Ich hatte den Frauen erschrocken von den Geschehnissen berichtet. Zwar gab es damals das systematische „Verschwindenlassen" noch nicht, aber ich fürchtete mich vor einer langen Haftstrafe. Die Rechte der Arbeiterinnen und Arbeiter zu verteidigen, war also gefährlich.

# Gemeinsam sind wir stark

Wir hatten unzählige Arbeitskonflikte durchzustehen, vor allem, nachdem General Morales Bermúdez an die Macht gekommen war. Er ging brutal gegen die Arbeiterinnen und Arbeiter vor und schaffte mit einem Federstrich Rechte ab, die wir in langen Kämpfen durchgesetzt hatten. Ich erinnere mich noch, daß wir zu dieser Zeit der Geschäftsführung des Schering-Werkes, wo wir arbeiteten, unsere Tarifforderungen vorlegten. Weil der Hauptgeschäftsführer sich auf Reisen befand, wandten wir uns an den Verwaltungsleiter, Señor Ernst. Aber dieser wollte uns nicht empfangen und weigerte sich, ein Angebot zu unterbreiten. Somit sahen wir uns gezwungen, eine Vollversammlung einzuberufen, Arbeitsniederlegungen zu beschließen.

Wie üblich drohte Schering damit, die Polizei zu rufen und uns wegen Sabotage anzuzeigen. Unsere Tarifforderungen nahm das Unternehmen nicht ernst. Señor Ernst verkündete selbstsicher, daß wir nichts ausrichten würden und erst recht keine Lohnerhöhung zu erwarten hätten. Deshalb berief ich als Generalsekretärin eine Vollversammlung ein, und wir beschlossen einen zweitägigen Warnstreik, den wir nötigenfalls in einen unbefristeten Streik umwandeln würden. Am ersten Tag vereitelte das Unternehmen den Streik, indem ein Bus mit Ersatzpersonal ins Werk gefahren wurde. Am nächsten Tag ließen wir uns aber etwas einfallen: In der Frühe ketteten wir uns ans Werkstor. Als Señor Ernst eintraf und sah, daß wir dort angekettet waren, forderte er uns auf, die Einfahrt freizugeben, um mit seinem Auto auf das Werksgelände fahren zu können. Wir waren natürlich nicht dumm und wußten, daß mit ihm auch der Bus mit den Streikbrecherinnen und Streikbrechern zum Schering-Werk gelangen würde.

„Kommt nicht in Frage“, rief ich also. „Erst wenn Sie sich an den Verhandlungstisch setzen, um zu einem Tarifabschluß zu kommen, wird die Aktion beendet. Bis dahin bleiben wir hier!“ Señor Ernst lief vor Wut rot an und gab zur Antwort: „Du Scheißschwarze! Geh’ doch zurück nach Afrika, wo du hingehörst!“ Ich ließ mich nicht zum Schweigen bringen und konterte: „Ich bin in diesem Land geboren. Wenn hier jemand Ausländer ist, dann Sie! Sie beuten hier Cholos[44] und Schwarze aus, weil wir für Sie billige Arbeitskräfte sind!“ Da wurde Señor Ernst fuchsteufelswild und öffnete den Kofferraum seines Autos. Er holte eine Motorsäge heraus und befahl dem Wachmann: „Schließ' sie an, verdammt, schließ' sie an!" Als er sie in Gang gesetzt hatte, kam er auf mich zu: „Delia, kette dich los! Schau' mal, das Ding schneidet!" Ich merkte zum ersten Mal, daß ich kleine Härchen im Gesicht hatte, denn die Säge war bereits so nahegekommen, daß sie sich bewegten, was ein gruseliges Kitzeln verursachte. Trotzdem forderte ich ihn furchtlos heraus: „Dann tun Sie's doch, Señor Ernst!" Zitternd vor Wut rief er: „Das ist scharf, Delia, das schneidet, das Ding." – „Das weiß ich, Señor Ernst!"

Als er gerade auf mich losgehen wollte, packte der Kollege Manuel ihn am Arm: „Nein, Señor Ernst, tun Sie das nicht!" Der Verwaltungsleiter fuhr wutentbrannt herum: „Nimm' deine Pfote da 'runter, du Miststück!" Ohne zu zögern, griff er Manuel mit der Säge an. Wir sahen zu unserem Schrecken die Fäden von Manuels Pullover durch die Luft fliegen. Voller Panik ergriffen einige Kollegen die Flucht. Sie waren nicht richtig angekettet gewesen, da sie der Meinung waren, die Polizei würde härter gegen die Männer als gegen die Frauen vorgehen. Noch ganz bleich sagte Manuel, daß nur sein Pullover zerrissen sei, worüber wir verständlicherweise sehr erleichtert waren. So vergingen Stunden voller Spannungen. Erst als der Bus mit dem Ersatzpersonal und den „Gelben" – also gewerkschaftsfeindlichen Arbeiterinnen und Arbeitern – weggefahren war, ketteten wir uns los. Es war bereits zwei Uhr nachmittags, und die Sonne brannte vom Himmel.

Dabei blieb es aber nicht: Am nächsten Tag gingen die Auseinandersetzungen weiter. Señor Ernst kam so früh, daß wir keine Zeit hatten, uns anzuketten. An diesem Tag fuhr er mich mit seinem Auto an. Deshalb erstattete ich Anzeige gegen ihn und informierte die Presse. Unser Kampf wurde in der Öffentlichkeit bekannt, und andere Gewerkschaften solidarisierten sich mit uns. Wir spürten, daß wir nicht allein waren. Das machte uns Mut und half uns durchzuhalten.

Als dieser Arbeitskonflikt vorbei war, versetzte mich der Verwaltungsleiter aus reiner Schikane ins Lager, das mit einer Kühlanlage ausgestattet war. Hier erkrankte ich an Lungenentzündung und mußte ins Krankenhaus eingeliefert werden. Als ich wieder gesund war, hatte der Verwaltungsleiter mich noch nicht vergessen. Diesmal schickte er mich als Strafmaßnahme in die Salbenabfüllung, die mit Formalin desinfiziert wurde. Diese Substanz, die auch in der Spritzen- und Antibiotika-Abteilung angewandt wurde, verwandelt sich beim Verdampfen in das extrem gesundheitsschädliche Gas Formaldehyd. Außerdem wurde in diesen Abteilungen ohne jegliche Schutzvorrichtungen unter UV-Licht gearbeitet. Wegen

1989: Arbeit im Schering-Pharmawerk

dieser Arbeitsbedingungen stehen uns wohl noch einige gesundheitliche Überraschungen bevor. Unser Krebsrisiko dürfte bereits erhöht sein.

Die peruanische Schering-Tochter hielt sich nicht an die bundesdeutschen Vorschriften, die besagen, daß die Desinfektion mit Formalin 48 Stunden vor Betreten des Raumes abgeschlossen sein muß. Unsere Gesundheit interessierte die Firma offenbar nicht im geringsten – uns allerdings schon. Wir hatten schließlich Familien, die uns brauchten. Als das Unternehmen unsere Beschwerden ignorierte, nahmen wir Kontakt mit dem Arbeitsministerium auf, und es gelang uns, Anzeige bei der dortigen Abteilung für berufliche Gesundheit zu erheben. Daraufhin stattete eine Inspektorin des Ministeriums dem Schering-Werk einen unangekündigten Besuch ab. Wir baten sie, die Salbenabteilung in Augenschein zu nehmen. Obwohl der Chemiker und Pharmazeut ihr den Zutritt verweigern wollte, legte sie ihre Schutzkleidung an und betrat die Abteilung, wo sie feststellte, daß wir unter unmenschlichen Bedingungen arbeiteten. Abschließend inspizierte sie die Antibiotika-Abteilung, wo UV-Strahlung eingesetzt wurde. Aufgrund der Inspektion erging eine Verfügung des Arbeitsministeriums, in der es dem Unternehmen verboten wurde, Formalin und UV-Strahlen weiterhin auf diese unverantwortliche Art und Weise einzusetzen. Schering reagierte darauf jedoch nicht.

In dieser Zeit begannen sich die „Kritischen Aktionärinnen und Aktionäre“[45], die Minderheitsanteile an der deutschen Schering-Muttergesellschaft besaßen, für unsere Situation zu interessieren. Das freute uns sehr. Ich schrieb ihnen und schickte ihnen Zeitungsartikel, um sie darüber in Kenntnis zu setzen, wie wir von der Schering-Geschäftsführung behandelt wurden. Henry, einer dieser „Kritischen Aktionäre“, ergriff bei mehreren Hauptversammlungen des Schering-Konzerns das Wort. Er prangerte die Mißstände im peruanischen Werk an und erwähnte auch die gesundheitschädlichen Arbeitsbedingungen. Die deutsche Konzernleitung stritt alles ab, beseitigte jedoch kurz darauf die Mißstände. Die UV-Lampen werden jetzt nur noch nachts betrieben, und für die Desinfektion der Salbenabteilung wird ein angeblich weniger gesundheitsschädliches Produkt verwendet. Ich bin sicher, daß viele meiner Kolleginnen und Kollegen Henrys Einsatz im Gedächtnis behalten werden. Eine andere engagierte Deutsche, Katharina, arbeitete mit ihm zusammen. Beide machten unter den deutschen Aktionärinnen und Aktionären das Unrecht bekannt, unter dem wir litten. Für solche Solidaritätsbekundungen waren wir sehr dankbar, da sie eine moralische Unterstützung darstellten.

Die Erfahrung hat mich gelehrt, daß wir immer bereit sein müssen zu kämpfen. Ich mußte immer daran denken, was mein Großvater über uns Schwarze gesagt hatte: „Allein bist du nur ein Lüftchen – gemeinsam sind wir ein Orkan!“ Er hat es auf den Punkt gebracht. Nur so können wir unser Leben, unsere Gebräuche und unsere Kultur bewahren. Ein weiteres Sprichwort, das er gerne zitierte und das aus der Zeit der Sklaverei kommt, lautet: „Es ist besser, sich aufrecht ein Stück Brot zu verdienen als für einen Braten auf die Knie zu fallen.“ Diese Worte habe ich nie vergessen, und sie sind Bestandteil meines Alltags geworden.

Es ist natürlich nicht immer leicht. In meiner Gewerkschaftsarbeit folgte ich diesem Prinzip bis zum I-Tüpfelchen, aber das Unternehmen orientierte sich, trickreich und mächtig, an der Strategie „Teile und herrsche“. Unter solchen Bedingungen wird der aufrechte Gang schwierig, aber nicht unmöglich. Ich bin überzeugt, daß jeder Mensch versuchen sollte, mit Anstand zu leben. Ich habe mich immer der Bestechung und den Partikularinteressen verweigert, und jetzt kann ich mein Brot in Würde essen. Wie schlecht müssen sich diejenigen fühlen, die den Kopf gesenkt und den Herren die Füße geküßt haben, um Almosen und Brosamen zu bekommen.

Ich bin überzeugt, daß wir als einzelne immer zu schwach sein werden, um etwas aufzubauen oder zu verteidigen. Aber gemeinsam sind wir stark. Nur so ist es möglich, dieses Leben voller Mißstände und Ausbeutung zu ändern und uns eine gerechte, würdevolle Existenz zu schaffen. Unsere Kinder werden es uns danken. Der Hunger nach Gerechtigkeit wird uns Kraft geben, bis wir siegen.

# Der unablässige Verrat meiner Genossen

Mein starkes Interesse an Frauenfragen führte mich 1971 zum Feminismus. Ich wollte gemeinsam mit anderen Frauen einen Beitrag zur revolutionären Bewegung leisten. Wir analysierten aus unserer eigenen Perspektive – also als Arbeiterinnen – die Situation der peruanischen Frauen und nannten uns „Revolutionäre Feministinnen“. Mich kostete dieses zusätzliche Engagement viel Zeit, die ich nicht hatte. So kam ich auf die Idee, mein Anliegen innerhalb der Gewerkschaftsarbeit umzusetzen – dort, wo ich mit dem Machismo[46] meiner Kollegen konfrontiert wurde. Ich entdeckte die Problematik durch die üble Behandlung, die ich in den gewerkschaftlichen Gremien erfuhr. Nur wenige Frauen ertrugen es, gewerkschaftliche Ämter auszuüben. In der FETLDA und der CGTP war es noch unerträglicher als bereits auf betrieblicher Ebene. Wenn ein Gewerkschaftsfunktionär bemerkte, daß eine Frau ein besonders starkes gewerkschaftliches Engagement zeigte und ihre Ideen mit Nachdruck zu verteidigen wußte, fühlte er sich angegriffen und befürchtete einen Machtverlust. Er griff dann entweder zu verschiedenen rüden Methoden, um sie klein zu halten oder zu marginalisieren, oder er verhielt sich honigsüß und flirtete mit ihr. Aber innerhalb der CGTP war es für uns Frauen nicht ratsam, uns auf irgendwelche Affären einzulassen. Zum einen waren die meisten Kollegen verheiratet, und zum anderen war dies auch eine Methode, die Funktionärinnen zu beherrschen und zu benutzen.

Es ist nicht immer leicht, mit Frauen zusammenzuarbeiten. Es gab oft Ressentiments, Konkurrenz und Eifersucht unter uns. Schon als Mädchen hatten wir gelernt, miteinander zu konkurrieren, zum Beispiel in puncto Schönheit. Neid war auch ein Problem. So wollten unsere Kolleginnen nicht begreifen, daß wir Gewerkschafterinnen konkrete Dinge zu erledigen hatten, und beschuldigten uns, uns zu oft von der Arbeit freistellen zu lassen. Wenn wir wegen eines gewerkschaftlichen Anliegens losmußten, sagten sie: „Laßt es euch schmecken.“ Wenn ein Gewerkschafter in ähnlicher Sache unterwegs war, gab es solche Kommentare nicht. Auf den Versammlungen interessierten unsere Kolleginnen sich mehr für die Abrechnung unserer Unkosten als für das, was wir erreicht hatten. Einmal reiste ich im Auftrag der Partei nach Mexiko. Meine Kolleginnen

1979: Bei einer Diskussion mit anderen Arbeiterinnen über Frauenfragen

dachten, die Gewerkschaft hätte mich geschickt, und waren ziemlich sauer.

Aber es gab auch Frauen, die sehr interessiert waren und sich gerne engagieren wollten. In diesem Fall stellten die Ehemänner ein Problem dar, die die Gewerkschaftsarbeit ihrer Frauen meist nicht unterstützen wollten. Natürlich brachte unser Leben als Gewerkschaftsfunktionärinnen einige Einschränkungen hinsichtlich eines normalen Familienlebens mit sich. Wenn wir an Kongressen teilnahmen, waren wir dort drei bis vier Tage lang eingeschlossen, und die Abschlußdiskussionen gingen erst um fünf Uhr früh zuende. Welcher Mann macht das mit? Was mich betrifft, so war ich eine Weile alleine, aber mit meinem zweiten Mann stritt ich mich genau deswegen, weil ich nur wenig Zeit für ihn hatte. Ich glaube, eine Gewerkschaftsführerin muß viele Opfer bringen.

Im Schering-Werk gab es eine Gruppe von vierzehn Frauen, die mehrfach den Gewerkschaftsvorstand stellte. Wir identifizierten uns miteinander und waren wie Schwestern. Häufig analysierten wir die Situation in unserem Land und entwickelten gemeinsam unser politisches Bewußtsein. Anfangs gab es heftige Auseinandersetzungen mit den Ehemännern, denn wir trafen uns jeden Freitag. Wir versammelten uns nicht nur im Gewerkschaftslokal, sondern gingen auch gemeinsam aus. Dabei unterhielten wir uns über die politischen Ereignisse der letzten Woche, besprachen aber auch persönliche Dinge, die unsere Familien und Ehen betrafen. Einmal mußte ich in gewerkschaftlichem Auftrag in die Stadt Huancayo[47] reisen. Drei meiner Kolleginnen begleiteten mich, obwohl sie keine gewerkschaftlichen Ämter innehatten. Das freute mich, weil es ein Zeichen der Zuneigung war und die Identifikation mit unserem Kampf zeigte. Heute sind wir alle arbeitslos, treffen uns aber noch immer. Einige von uns haben jetzt einen Kleinbus, mit dem sie versuchen, Geld zu verdienen, andere haben sich andere Erwerbsmöglichkeiten gesucht. Die Ehemänner zeigen mittlerweile Verständnis und wissen, daß wir uns jeden Freitag treffen. Wir helfen und beraten einander, um Lösungen für unsere Probleme zu finden.

Über die FETLDA konnten wir erreichen, daß in der CGTP das Amt einer Frauenbeauftragten eingerichtet wurde. In meinem Betrieb hatten wir dieses Amt bereits geschaffen und durchgesetzt, daß Frauen nach der Geburt nur halbtags zu arbeiten brauchten, bis das Kind ein Jahr alt war. Unsere Kollegen lehnten diese Regelung ab und forderten scheinheilig, sie müsse auch für Männer gelten. Als sie den Gewerkschaftsvorstand stellten, vereinbarten sie mit dem Unternehmen, statt der Halbtagstätigkeit ein Jahr lang einen Betrag von 15 Soles monatlich auszuzahlen. Diese Summe, die als „Kompensation für die Kinderkrippe" bezeichnet wurde, wurde ständig weiter gekürzt.

Wir waren festentschlossen, vorwärts zu kommen. 1983 gründeten wir die „Organisationskommission der peruanischen Frau" (COMUP)[48], in der Frauen unterschiedlicher sozialer Herkunft zusammenarbeiteten. Es gab dort Gewerkschafterinnen, Frauen aus den Stadtteilbewegungen, Akademikerinnen und feministische Gruppen. Im Rahmen dieser Arbeit entstand ein Papier zur Situation der peruanischen Arbeiterinnen. Die Sitzungen und Beschlüsse von COMUP waren sehr wichtig. Wir Gewerkschafterinnen begannen, über unsere Situation als Frauen nachzudenken.

Wir sprachen über unsere Töchter: Wenn ein Mädchen aus einer armen Familie schwanger wird, wird es von seinen Eltern bestraft und gezwungen, das Kind auszutragen – ob es will oder nicht. Durch die erzwungene Mutterschaft muß es seine Ausbildung abbrechen und in einer Fabrik arbeiten, um seinen Lebensunterhalt zu verdienen. So verliert es die Möglichkeit, einen Beruf zu erlernen und sich selbst zu verwirklichen. Wie aber reagiert eine reiche Familie, wenn die Tochter schwanger wird? Die Eltern schicken ihre Tochter in eine Privatklinik, zahlen viel Geld für die Abtreibung[49], und das Mädchen kann weiter die Schule besuchen. Unsere

Töchter aber können das nicht, wenn sie schwanger werden, denn die Schule läßt das sogenannte „schlechte Vorbild“ nicht zu. So wird ihr Leben verstümmelt. Uns fiel auf, daß unsere Söhne diese Probleme nicht haben und ihnen somit mehr Möglichkeiten offenstehen.

Wir untersuchten auch, was unsere Töchter in der Schule lernten, und stellten den umfangreichen Handarbeitsunterricht in Frage. Stricken und sticken kann ein Mädchen zuhause lernen, wenn es möchte, aber Bestandteil des Schulunterrichts muß das nicht unbedingt sein. Unsere Söhne hatten keinen Handarbeitsunterricht und lernten während dieser Zeit Mathematik und andere Fächer.

Wir dachten auch darüber nach, warum wir Frauen weniger verdienten als die Männer, auch wenn wir die gleiche Arbeit machten. Schering rechtfertigte diesen Umstand damit, daß die Erwerbsarbeit der Frauen nur als Ergänzung des Einkommens ihrer Ehemänner – der eigentlichen Geldverdiener – diene. Das stimmte gar nicht: Die meisten von uns Frauen mußten die Familie unterhalten. Außerdem war es ungerecht, denn bei Schering machten wir schließlich die gleiche oder sogar wichtigere Arbeit als die Männer.

Außerdem beschäftigten wir uns mit den Problemen, die wir Frauen im Arbeitsalltag hatten. Da war zum Beispiel die Situation der neueingestellten Arbeiterinnen. Ihre Vorgesetzten erpreßten sie: „Du willst festangestellt werden? Dann mußt du nett zu mir sein …“ Die Frauen mußten mit ihnen ausgehen und ihnen einige Vertraulichkeiten einräumen. Mit anderen Worten: Sie mußten sich prostituieren, die Geliebte des Chefs werden, wenn sie die Arbeit behalten wollten. Sie mußten also nicht nur ihre Arbeitskraft verkaufen, sondern auch ihren Körper. Natürlich waren Männer diesen Belästigungen nicht ausgesetzt, sondern nur wir Frauen. Das Papier, das COMUP erarbeitete, griff dieses Problem auf. Sexuelle Belästigung mußte gesetzlich geahndet werden.

Ich habe das selbst miterlebt: Im Schering-Werk, wo ich arbeitete, war ich Zeugin eines solchen Vorfalls. Es fiel mir auf, daß einer der Werksleiter mit seinem Blick eine gutaussehende Arbeiterin zu verschlingen schien. Eines Tages schickte er sie zur Arbeit ins Lager und dachte, es hätte niemand mitbekommen. Die Arbeiterin hatte Angst, weil sie sich von ihm belästigt fühlte. Da ich damals Gewerkschaftsvorsitzende war, wandte sie sich vertrauensvoll an mich: „Señora, dieser Mann läßt mich nicht in Ruhe. Er starrt mich die ganze Zeit an. Manchmal macht er gewisse Bemerkungen, und er versucht immer, mich anzufassen.“

An diesem Tag arbeiteten wir gerade zusammen, und so hörte ich, daß er sie ins Lager schickte. Sie machte sich auf den Weg, denn sie konnte sich ja nicht weigern – er war schließlich ihr Chef. Als ich kurz darauf zur Toilette ging und am Lager vorbeikam, hörte ich Schreie. Ich klopfte an die Tür und fragte, was los sei. Da rannte sie verzweifelt nach draußen. Ihre Schürze war offen, denn er hatte versucht, sie ihr auszuziehen. Sie hatte versucht, sich mit einem Hammer zu verteidigen, der dort gerade herumlag. Das konnte nicht so weitergehen. Ich berief eine Versammlung ein, um diesen Vorfall zu besprechen, denn dieses Problem ging alle Arbeiterinnen an. Ich bat die Kollegin, selbst zu berichten, was passiert war. Aber als die Versammlung bereits begonnen hatte, machte sie einen Rückzieher und sagte, wenn ich – als Zeugin – darüber informieren würde, würde sie es abstreiten. Sie fürchtete, daß die anderen ihr die Schuld an dem Vorfall geben würden. Außerdem arbeitete ihr Verlobter im Werk. Wenn er erfuhr, was vorgefallen war, würde er sie schlagen, denn er war sehr eifersüchtig. Er wollte zum Beispiel auch nicht, daß sie enge Hosen trug.

Das war kein Einzelfall, sondern Teil unseres Alltags. Selbst in der FETLDA gab es ähnliche Probleme. Der Generalsekretär selbst fing eine Affäre mit einer jungen Kollegin an. Eines Tages bemerkte er, daß sie schwanger war, und verlangte, sie solle abtreiben. Als sie das Kind behielt, weigerte er sich, zu seiner Vaterschaft zu stehen, obwohl es daran keinen Zweifel gab. Es heißt ja, daß die verleugneten Kinder ihren Vätern besonders ähnlich sehen, und das war auch in diesem Fall so. Bis heute sagt er zu mir: „Schwarze, misch' dich nicht in mein Leben ein!" Denn ich hatte ihm immer wieder lautstark meine Meinung gesagt. Inzwischen spreche ich wieder mit ihm, aber nicht ohne Ressentiments und Mißtrauen, die noch von jenem Vorfall herrühren. Von einem Gewerkschaftsführer wird erwartet, daß er sich besonders sozial verhält, weil er sich für die Arbeiterinnen und Arbeiter einsetzt. Aber ich habe gemerkt, daß das nicht immer der Fall sein muß. Wenn ein Kollege nicht in der Lage ist, die Bedürfnisse seiner Frau und seiner Kinder wahrzunehmen, dann ist an seinem politischen Engagement etwas faul. Er muß zuhause damit anfangen, meine ich. Solche Vorfälle führten dazu, daß wir Frauen bemerkten, daß wir in dreifacher Hinsicht unterdrückt werden: bei der Arbeit, zuhause und im gewerkschaftlichen Kampf.

Wir begannen auch, die Zusammensetzung der Führungsspitze unseres Gewerkschaftsdachverbands, der CGTP, in Frage zu stellen. Landesweit war die Hälfte aller Beschäftigten weiblich, was sich im Führungsgremium der CGTP jedoch nicht niederschlug. Unter den 21 Vorstandsmitgliedern gab es nur eine einzige Frau – und sie hatte natürlich das Amt für soziale Angelegenheiten inne. Wir diskutierten unsere Ideen in vielen

Versammlungen mit den anderen Arbeiterinnen. Ich ermutigte besonders die Kolleginnen im Pharmabereich, in dem es einen hohen Anteil an weiblichen Beschäftigten gab, für gewerkschaftliche Ämter zu kandidieren: „Laßt uns die Rolle übernehmen, die uns im Kampf zukommt!" Schließlich erarbeiteten wir einen Antrag, den wir 1983 dem landesweiten CGTP-Kongreß vorlegten, und ich sollte ihn begründen. Ich war eine der wenigen Frauen, die es geschafft hatten, in den männlich dominierten Dachverband vorzudringen. Den Kollegen paßte es nicht, daß Frauen zu Kongreßdelegierten gewählt wurden, sie empfanden dies als Beleidigung.

Es waren nur vier Frauen auf dem Kongreß: Eine Kollegin kam aus der Textilbranche, eine andere aus dem universitären Bereich, eine dritte aus dem Pharmasektor, und die vierte weibliche Delegierte war ich. Vier Frauen in einem Saal mit achtzig männlichen Delegierten aus allen Teilen Perus ... Ich sollte die zehn Punkte vortragen, aus denen unser Manifest bestand. In einem dieser Punkte wurde die Schaffung einer Frauenkommission in der CGTP gefordert. Wegen der vielfältigen Probleme, die wir Frauen hatten, hielten wir eine eigene Vertretung an der Spitze der CGTP für gerechtfertigt, die unsere Interessen verteidigen sollte. Das gab mir Kraft, unseren Antrag auf dem Kongreß zu vertreten. Die Reaktion der männlichen Delegierten war jedoch sehr schmerzhaft für mich. Kaum hatte ich meine Rede beendet, als sich ein Vorstandsmitglied bereits darüber lustig machte. Er sagte, unser Forderungskatalog setze sich dafür ein, daß eine Frau, die von ihrem Mann einmal geschlagen werde, ihn zweimal schlagen müsse. Wenn ihr Mann sich betrinke, müsse sich die Frau auch betrinken. Es war ein ziemlich plumper Witz, aber alle begannen, laut zu lachen, und sie ließen mich nicht antworten.

Im ersten Moment wußte ich nicht, was ich tun sollte. Dann entschloß ich mich, unseren Vorschlag zu verteidigen. Allerdings mußte ich zu derben Ausdrücken greifen, damit sie mir zuhörten. Das habe ich, glaube ich, geschafft. Ich mußte Schimpfwörter benutzen, weil die Delegierten – ein Saal mit achtzig Männern – mich sonst weiter ausgelacht hätten. Ich schob den Kollegen, der das Wort zu erteilen hatte, beiseite und schnappte mir das Mikrophon. „Ihr Idioten", brüllte ich wütend. Die Delegierten bemerkten meinen Mut und sahen, wie ich mich gegen den Kollegen zur Wehr setzte, der mir das Mikrophon wieder abnehmen wollte. Sie riefen: „Laß sie doch, Mann! Laß sie sprechen!"

Zunächst entschuldigte ich mich für meine Wortwahl. Ich erklärte, daß ich so reagieren mußte, weil es die einzige Möglichkeit war, sie zum Zuhören zu bringen. Sie sollten die Vorschläge von uns Frauen anhören. Ich berichtete, was mit unseren Töchtern passierte und wie es den Arbeiterinnen in den Betrieben erging, und ich glaube, daß einige der Anwesenden mich verstanden. Anschließend bat der CGTP-Vorstand um eine viertelstündige Pause und wollte einige Stellen ändern lassen. Außerdem schlugen sie mir einen Kuhhandel vor: Ich würde als Frauenbeauftragte in den Vorstand aufgenommen werden, wenn ich den Antrag umformulierte. Dazu war ich aber nicht bereit. Schließlich war ich gezwungen, den Antrag zurückzuziehen.

Diese Machos konnten nicht ertragen, daß die Dinge deutlich ausgesprochen wurden. Besonders beunruhigend fanden sie, daß wir Sanktionen gegen sexuelle Belästigung forderten. Wir kannten ihre sexistischen Vorurteile uns Frauen gegenüber. Sie behaupteten zum Beispiel, daß wir in Miniröcken zur Arbeit gingen, um unsere Vorgesetzten zu provozieren. Unsere Kollegen erkannten nicht an, daß wir Frauen im gewerkschaftlichen Kampf genauso viel wert waren wie sie. Sie versuchten, uns schlecht zu machen, wenn wir das Wort ergriffen oder ein Amt übernahmen. Wenn wir uns versprachen, machten sie sich über uns lustig. Deshalb mußten wir, wenn wir von Männern umringt waren, zweimal nachdenken, bevor wir etwas sagten. Sie nahmen unsere Vorschläge einfach nicht ernst. Aus diesen Erfahrungen lernte ich, daß es nicht leicht war, für eine Besserstellung der Frauen zu kämpfen. Es ist ein täglicher Kampf an jedem Ort, und es ist wichtig, dabei geschickt vorzugehen.

Der Forderungskatalog, den wir dem Gewerkschaftskongreß hatten vorlegen wollen, wurde später von der Frauenbewegung übernommen. Wir mußten andere Mittel und Wege finden, unser Anliegen durchzusetzen. So trafen wir uns mit Mercedes Cabanillas, einer Parlamentsabgeordneten der APRA-Partei. Sie erreichte, daß unser Vorschlag vom peruanischen Parlament verabschiedet wurde, allerdings mit vielen Veränderungen. Im Gesetz heißt es: „Ein Arbeitgeber, der sexuellen Mißbrauch gegenüber einer Arbeiterin begeht, wird bestraft.“ Das war zu abstrakt, denn nicht die Arbeitgeber sind diejenigen, die den sexuellen Mißbrauch begehen, sondern die Vorgesetzten, mit denen die Arbeiterinnen direkten Kontakt haben.

Ich kann nicht leugnen, daß die Unterschiede zwischen uns „Partei-Feministinnen“ und den parteipolitisch nicht organisierten Frauen sehr ausgeprägt waren. Letztere waren meistens in den Frauenzentren zu finden, die als Nichtregierungsorganisationen verfaßt sind. Nach meiner Auffassung sollten diese Zentren – wie etwa „Flora Tristán“[50] oder „Aurora Vivar“[51] – die Entwicklung der Frauen im weitesten Sinne unterstützen und einen uneigennützigen Beitrag zur feministischen Bewegung leisten. Stattdessen ernähren sie sich von unserer Not, indem sie daraus

Bücher machen. Ich würde das nicht als feministisches Engagement bezeichnen – sie sind eben Angestellte wie andere auch und werden für ihre Arbeit bezahlt. Bei meiner Partei- und Gewerkschaftsarbeit hingegen verdiene ich nichts und muß auch noch meinen Mitgliedsbeitrag entrichten, damit die betreffende Organisation arbeitsfähig bleibt. Die Frauenzentren sind mit den modernsten Computern ausgestattet, aber ihren Mitarbeiterinnen fehlt es bisweilen an echtem Engagement, an einem Feminismus, der die peruanische und lateinamerikanische Realität zur Kenntnis nimmt. Mir ist es einmal passiert, daß eine Vertreterin der Frauenbewegung mich hinauswarf. Sie sagte, daß ich mich als Gewerkschaftsführerin bezeichnen könne, aber auf keinen Fall als Feministin, denn für sie beinhaltete der Feminismus die Befreiung unserer Körper. Das ist sicherlich eine wichtige Forderung, aber nicht die wichtigste, meine ich.

Statt der Akademikerinnen aus den Frauenzentren hätten wir lieber wirkliche Repräsentantinnen der peruanischen Frauen an der Spitze der Bewegung gehabt. Die Zusammenarbeit der Frauenzentren mit den Frauen aus ärmeren Bevölkerungsschichten klappte nämlich nicht gerade reibungslos. Einige Aktivistinnen der Basisbewegungen suchten den Kontakt mit der Frauenbewegung, weil sie als Frauen in ihrem Alltag mit konkreten Problemen konfrontiert waren, in den Fabriken, in der Gewerkschaft, in der Partei, im Stadtviertel. Sie waren mit spezifischen Frauenforderungen einverstanden, wollten sich jedoch nicht als Feministinnen bezeichnen. Deshalb wollten ihnen die Vertreterinnen der Frauenzentren, die an der Spitze der Bewegung standen, keinen Platz einräumen. Ich glaube, das war ein großer Fehler, denn die Bewegung nahm einen elitären Charakter an und konnte sich nicht ausbreiten. Das gleiche geschah in den linken Parteien, wo verlangt wurde, sich zum Marxismus-Leninismus oder Trotzkismus zu bekennen, um beitreten zu dürfen. Diese ausgrenzende Art und Weise, soziale und politische Bewegungen aufzubauen, habe ich nie verstanden. Ich glaube, daß uns das sehr geschadet hat. Wir leben ja ohnehin schon in einem Land, in dem wir aufgrund der wirtschaftlichen, historischen und kulturellen Bedingungen auseinanderdividiert werden.

Bedenkliche Einstellungen stellte ich auch beim „3. Feministischen Treffen Lateinamerikas und der Karibik" fest, das im August 1985 in Brasilien stattfand. Hier wurden schwarze und indianische Brasilianerinnen diskriminiert, die als Vertreterinnen der Elendsviertel vor den Toren des Veranstaltungsortes Einlaß begehrten. Die Organisatorinnen verweigerten ihnen aber den Zutritt. Als ich das bemerkte, sprach ich mit den ausgeschlossenen schwarzen und indianischen Frauen, die sich diskriminiert

2. August 1985: Playa de Bertioga, Brasilien
(3. Feministisches Treffen Lateinamerikas und der Karibik)

fühlten. Sie sagten, daß es ihnen unmöglich sei, den vollen Tagungsbeitrag aufzubringen, und schlugen vor, nur die Hälfte des Beitrags zu zahlen und ihre Verpflegung selbst mitzubringen. Sie wollten auf jeden Fall teilnehmen. Ich wandte mich an die Organisatorinnen, die darauf bestanden, daß diese Frauen den vollen Tagungsbeitrag zu zahlen hatten, der sehr teuer war. Ich selbst hätte ihn mir auch nicht leisten können, wenn er mir nicht von einer peruanischen Organisation erstattet worden wäre. Was ich verdiente, reichte nicht einmal aus, um mich vernünftig zu ernähren. Eine Reise nach Brasilien hätte ich davon nicht bezahlen können. Mir fiel eine Lösungsmöglichkeit ein: Ich bat alle anwesenden Frauen um einen Obolus. Das Geld, das zusammenkam, reichte, um den meisten Frauen die Teilnahme zu ermöglichen.

Einige peruanische Arbeiterinnen nahmen ebenfalls an dem Treffen teil: eine Landarbeiterin, eine Bergarbeiterin und eine Textilarbeiterin. Wir suchten den Workshop „Frau und Arbeit“, der aber nicht vorgesehen war. Stattdessen gab es Workshops zu den Themen Fotografie, Sexualität, Lesben und Kunst. Also gründeten wir selbst einen Workshop zu unserem Interessenschwerpunkt, an dem auch die schwarzen Brasilianerinnen teilnahmen.

Auch beim „4. Feministischen Treffen Lateinamerikas und der Karibik", das 1987 in Mexiko stattfand, machte ich einige unerfreuliche Erfahrungen, die bereits im Vorfeld begannen. Als ich einige Wochen vor dem Treffen bei der Feministischen Koordination Perus vorbeiging, sagten mir die Frauen: „Delia, die Mexikanerinnen haben uns geschrieben, daß sie eine peruanische Gewerkschafterin zum Feministischen Treffen einladen wollen." – „Das ist ja prima! Welche Kollegin soll denn fahren?" – „Weißt du, wir haben darüber abgestimmt und vereinbart, daß die Kollegin Enedina aus der Textilbranche fahren soll. Du bist doch nicht sauer?!" Gegen Enedinas Teilnahme hatte ich nichts einzuwenden, da ich selbst schon bei früheren Feministischen Treffen gewesen war und es gut fand, daß jetzt eine andere Kollegin dort ihre Erfahrungen machen sollte. Ich berichtete Enedina, wie ich die früheren Treffen erlebt hatte und daß wir in Brasilien darum kämpfen mußten, einen Workshop „Frau und Arbeit" einzurichten.

Kurze Zeit später erhielt ich zu meiner äußersten Überraschung ein Telegramm aus Mexiko, in dem es hieß: „Delia, wir bedauern sehr, daß Du nicht an dem Feministischen Treffen teilnehmen kannst. Solltest Du es doch noch ermöglichen können, nach Mexiko zu kommen, so informiere uns bitte." Besorgt rief ich in Mexiko an und erfuhr, daß die mexikanischen Organisatorinnen, die wußten, daß ich in der peruanischen Gewerkschaftsbewegung aktiv war, ursprünglich mich eingeladen hatten und auch die Flugkosten übernehmen wollten. Eine Bestätigung hierüber hatten sie vor einigen Wochen an die Feministische Koordination Perus geschickt. Diese jedoch hatte den mexikanischen Organisatorinnen mitgeteilt, ich sei erkrankt und könne nicht an dem Treffen teilnehmen, an meiner Stelle würde jedoch die Kollegin Enedina nach Mexiko reisen. Als ich das hörte, ging ich zur Feministischen Koordination Perus und stellte die Frauen zur Rede. Sie waren sehr ärgerlich und versuchten, sich herauszureden. Aber die Mexikanerinnen stellten das Flugticket natürlich auf meinen Namen aus, und so konnte ich doch noch nach Mexiko reisen. Die Feministische Koordination Perus sah sich gezwungen, Enedinas Flugticket zu bezahlen, ließ es sich aber anschließend von den mexikanischen Organisatorinnen erstatten.

Als das Feministische Treffen eröffnet wurde und sich alle Ländervertreterinnen vorstellen sollten, ergriff Gina aus der peruanischen Delegation das Wort. Ihr langweiliger Sermon gipfelte in der Behauptung, daß in Peru alles zum Besten stehe und wir dort alle glücklich seien. „Wir lieben

1989: Rede vor der „Comisión del Memorial de la Mujer Trabajadora por un 1r Mayo Combativo"

das mexikanische Volk und grüßen die anwesenden Frauen", schloß sie. Sie sagte nichts darüber, wie es in Peru zu dieser Zeit wirklich aussah, verschwieg das Gefängnismassaker[52] und die Massengräber[53], die entdeckt worden waren. Da hielt ich es für erforderlich, daß die Anwesenden noch eine andere Stimme aus Peru hörten. Als mir das Wort erteilt wurde, beschrieb ich die peruanische Wirklichkeit aus meiner Sicht und stieß damit auf so großes Interesse, daß ich von einem mexikanischen Fernsehkanal eingeladen wurde, über die Lage in meinem Land zu berichten. Auf einem anderen Kanal pries Alan García[54], der damalige peruanische Präsident, der sich gerade zu einem Staatsbesuch in Mexiko aufhielt, die Erfolge seiner Regierung.

Nach diesem Vorfall gingen die anderen Peruanerinnen auf Distanz zu mir, weil sie befürchteten, daß ich bei meiner Ankunft in Lima gleich ins Gefängnis wandern würde. Das war eine üble Erfahrung, denn ich landete praktisch auf der Straße.

Ohne mir ein Wort zu sagen, hatte die gesamte peruanische Delegation die Reservierung im Hotel „Presidente" rückgängig gemacht. Die Frauen waren zu Verwandten oder in billigere Hotels gegangen. Ich wußte nicht, was ich tun sollte. Ein Hotel konnte ich mir nicht leisten. Da ich ja eine Einladung zu dem Treffen hatte, hatte ich fast kein Geld mitgenommen. Enedina, mit der ich das Zimmer geteilt hatte, sagte mir, eine peruanische Feministin habe sie bei ihrer Schwester einquartiert. „Sie hat aber nur ein einziges Bett, und wir müssen schon zu zweit darin schlafen." – „Könnte ich nicht trotzdem mitkommen? Vielleicht kann ich ja auf einem Sofa schlafen ..." – „Nein, das geht wirklich nicht. Vielleicht nimmt dich eine andere Frau mit?!" So entschwanden alle, eine nach der anderen. Sie sahen mich an, als hätte ich die Pest, und ließen mich einfach stehen. Ich wußte nicht, wo ich schlafen sollte, und begann in meiner Verzweiflung zu weinen. Es war reiner Zufall, daß in diesem Moment die Kollegin Alva vorbeikam, meine einzige mexikanische Bekannte. Sie ist Elektrikerin – in Mexiko erlernen nämlich auch Frauen solche technischen Berufe. Alva fragte, was passiert sei, und brachte mich bei einer Gewerkschaftsführerin

1989: Sitzung der „Comisión del Memorial"

aus der Textilbranche unter, wo ich bis zu meinem Rückflug wohnen konnte.

Für uns Arbeiterinnen waren die Feministischen Treffen nicht gerade ein Ort der Selbstverwirklichung. Aber wir konnten dort trotzdem eine Menge lernen, denn wir erlebten, wie bürgerliche Frauen versuchten, uns von unserem Weg abzubringen. Als besonderer Tiefpunkt ist mir eines der Treffen in Erinnerung, das in Argentinien stattfand. Bei vielen Teilnehmerinnen war es mir unklar, weshalb sie gekommen waren. Sie hatten überhaupt keinen Bezug zum lateinamerikanischen Feminismus. Der Workshop „Frau und Ausbeutung" war gestrichen worden – offenbar war den Organisatorinnen nicht daran gelegen, daß wir uns mit unserer Realität und den Arbeitsbedingungen in unseren jeweiligen Herkunftsländern auseinandersetzen sollten. Es schien mir, daß die Treffen immer elitärer wurden und zum Freizeitvergnügen der bürgerlichen Frauen verkamen, die dem Smog entkommen und ein bißchen Tourismus machen wollten – sonst nichts. Uns Gewerkschafterinnen hingegen kam es darauf an, mit Kolleginnen aus anderen lateinamerikanischen Ländern zusammenzutreffen, um Erfahrungen auszutauschen und zu hören, was in den anderen Ländern los war. Aber die Mehrzahl der anwesenden Frauen hatte kein Interesse daran, unseren Kampf zu unterstützen.

Solche und andere Probleme im Umgang miteinander schwächten nicht nur den Aufbau einer starken Frauenbewegung in Peru, sondern auch die Konsolidierung unserer Forderungen in den Organisationen und Institutionen des Landes. Trotz allem haben wir, denke ich, einige Errungenschaften und wichtige Veränderungen für viele peruanische Frauen durchsetzen können. Wir haben uns Anerkennung verschafft und einige öffentliche Räume besetzen können.

# Dies ist mein Körper und nicht deiner

Mein Leben verging im Nu. Den Vater meiner zweiten Tochter lernte ich kennen, als meine Älteste sechs Jahre alt war. Eines Abends mußte ich meine Großtante mit einer furchtbaren Kolik zur Krankenstation bringen. Der behandelnde Arzt war sehr freundlich zu uns und unterhielt sich angeregt mit mir. Da es schon sehr spät war, bot er an, uns in seinem Wagen nach Hause zu bringen. Er fragte mich, wo ich arbeite. Als ich es ihm sagte, fragte er gleich, ob er mich dort besuchen könne. Ich sagte ja, da ich mich geschmeichelt fühlte. Zu diesem Zeitpunkt lebte ich bereits einige Zeit vom Vater meiner ersten Tochter getrennt. Nach meinem Mißerfolg mit diesem jungen Mann begann ich, mit dem sehr viel älteren Arzt – er hieß Ricardo – auszugehen. Er sagte, daß er mich sehr gern habe und mich heiraten wolle. Ich dachte, daß ich und meine Tochter es bei diesem sympathischen Mann besser haben würden. Bei mir zuhause hüpften alle vor Freude, weil Ricardo Arzt war. Ich begann, die Scheidung einzuleiten.

Eines Abends holte mich Ricardo mit seinem Wagen von der Arbeit ab, und wir wollten spazierenfahren. Als ich einstieg, sah ich plötzlich Roberto, meinen ehemaligen Ehemann, auftauchen, der das Auto mit Steinen bewarf und Schimpfwörter brüllte. Alle Scheiben gingen zu Bruch. Mit Scherben übersät gelang es uns, zu entkommen. Das war ein Glück, denn wenn Roberto Ricardo zu fassen bekommen hätte, hätte er ihn umgebracht. Ich kannte sein Verhalten ja zur Genüge. Es war ein großer Schreck, der sich aber nicht wiederholte, weil ich Roberto bei der Polizei anzeigte.

Ich ging etwa ein Jahr lang mit Ricardo aus, wir machten Spaziergänge und Ausflüge, die uns in alle Ecken der Hauptstadt führten. Er wollte nichts überstürzen, und ich war auch nicht bereit, so einfach mit ihm ins Bett zu gehen, da ich nicht wieder schwanger werden wollte. Ich hatte mir vorgenommen, nicht mehr als zwei Kinder zu haben, kannte mich aber nicht sehr gut mit der Empfängnisverhütung aus. Bei Schering, wo ich arbeitete, wurden zwar Anti-Baby-Pillen hergestellt, aber ich hatte Angst, sie einzunehmen, weil ich Gesundheitsprobleme fürchtete. Ich war damals ziemlich im Streß und hatte kaum Zeit für Ricardo, denn zu dieser Zeit besuchte ich nach der Arbeit die Krankenpflegeschule und machte außerdem meinen Realschulabschluß. Ricardo mußte sich also nach meinem Zeitplan richten. Manchmal kam ich spät nach Hause, weil ich noch in Gewerkschaftsangelegenheiten unterwegs war oder Schule hatte. Er saß in seinem Wagen, las die Zeitung und wartete geduldig auf mich. Ich war froh, ihn kennengelernt zu haben. Er bestärkte mich darin, daß sich meine Mühe lohnte, und machte mir Mut, meine Ausbildung fortzusetzen. Das half mir sehr. Wenn er merkte, daß ich aufgeben wollte, sagte er mir: „Du mußt die Schule fertigmachen. Hast du nicht gesagt, daß du eine Frau bist, die das, was sie anfängt, auch zuendebringt?"

Eines Abends waren wir zu einem Geburtstag eingeladen, wo wir beide zuviel tranken. Am Ende übernachtete ich bei ihm und wurde mit meiner zweiten Tochter schwanger. Als ich ihm davon erzählte, reagierte er ablehnend und sagte, ich solle abtreiben. Ich war damit einverstanden. Er wollte mich zu einem Freund bringen, der den Eingriff vornehmen sollte. Die Wochen vergingen, aber er unternahm nichts. Erst als ich schon fast im vierten Monat war, wollte er mich nach einem heftigen Streit zu seinem Freund bringen. In dieser Situation kam mir das wie eine Bestrafung vor, und ich sagte ihm: „Sieh mal, jetzt sind fast vier Monate vergangen. Dies ist mein Körper und nicht deiner, und ich habe Angst zu sterben. Ich werde jetzt nicht mehr abtreiben, denn ich spüre das Baby schon und fühle, wie sein Herz klopft. Du hast so viel Zeit verstreichen lassen. Jetzt hast du Pech gehabt – ich werde mein Kind bekommen." Er gab zurück: „Dann bekomm' es, aber hinterher kannst du sehen, wo du bleibst." Später war ihm das peinlich, und er bat mich, es unserer Tochter niemals zu erzählen. „Ich werde das Krankenhaus, wo du arbeitest, zum Zittern bringen, wenn du nicht zu deiner Vaterschaft stehst", antwortete ich. Vorher hatte er mit seinem Freund, dem Bürgermeister des Stadtteils Puente Piedra[55], über eine mögliche Trauung gesprochen, aber jetzt wollte er davon nichts mehr wissen.

Wir sahen uns nicht mehr, es war eine harte Trennung. Ich war allein mit meinem Bauch, weil Ricardo sich zurückgezogen hatte. Als das Kind 1972 auf die Welt gekommen war, kam er mit einem riesigen Blumenstrauß ins Hospital Obrero[56] und einem Kärtchen, auf dem er um Verzeihung bat. Ich freute mich darüber, vor allem, weil er seine Tochter anerkannte und sie seinen Nachnamen bekommen würde. Er redete jetzt nicht mehr von Heirat, sondern schlug vor, einfach so zusammenzuziehen. Wir entschlossen uns, es auszuprobieren. Er hatte eine Wohnung im Stadtteil La Victoria[57], und dort zogen wir ein.

Es lief zunächst ganz gut. Was mich allerdings sehr schockierte, war sein Vorschlag, meine ältere Tochter in ein Internat zu stecken. Er würde sich an den Kosten beteiligen. Er wollte sie nicht bei uns haben, da er seiner Familie erzählt hatte, daß ich ledig sei. Und wie sollte er mich dann mit meiner Tochter vorstellen? Das heißt: Er selbst konnte natürlich alle Frauen haben, die er wollte, nur mir als Frau war ein solches Verhalten untersagt. Seine Familie hatte offenbar Vorurteile und würde es, wie er mir sagte, nicht zulassen, daß er mit einer geschiedenen Frau zusammen war. Eine Frau mit Kind würde erst recht nicht akzeptiert. Wenn ich meine Tochter nicht weggäbe, würde er mich seiner Familie eben nicht vorstellen, drohte er. Ich dachte nicht daran, meine Tochter zu verlassen. Ich stand zu meiner Vergangenheit und hatte ihm nichts vorgemacht: Er hatte mich mit meiner Tochter kennengelernt, und ich würde sie überall hin mitnehmen. So zogen wir in seine Wohnung in La Victoria, ohne daß ich seine Eltern kennengelernt hätte.

Wir suchten uns ein Hausmädchen, das meine Töchter beaufsichtigen sollte, während ich bei der Arbeit war. Eine Freundin meiner Mutter empfahl mir ihre sechzehnjährige Tochter Luisita, und ich konnte beruhigt zur Arbeit gehen, weil ich die Familie ja kannte. Es kam allerdings mehrfach zu Konflikten mit Ricardo, weil ich nur wenig Zeit für ihn hatte. Er machte mir Vorwürfe und verlangte von mir, den Gewerkschaftsvorsitz aufzugeben und mir mehr Zeit für ihn und meine beiden Töchter zu nehmen, besonders für die jüngste, die noch sehr klein war. Ich will Ricardo natürlich nicht in Schutz nehmen, aber möglicherweise haben all diese Nächte, in denen ich bis zwölf oder ein Uhr nachts im Gewerkschaftsdachverband zu tun hatte, zu der Annäherung zwischen ihm und unserem Hausmädchen Luisita beigetragen.

Eines Tages ging ich wieder einmal meine Mutter besuchen. Luisita gab ich frei, weil sie ebenfalls ihre Familie besuchen gehen wollte. Ricardo war an diesem Tag mit seinem Freund, dem Bürgermeister von Puente Piedra verabredet, um die Sache mit der Heirat zu klären. Er versprach, mich am Nachmittag bei meiner Mutter in Rímac abzuholen. Als ich bei meiner Mutter angekommen war und mich gerade sehr angeregt mit ihr unterhielt, kam meine Freundin Carmen vorbei. Sie erzählte, daß sie ins Porvenir-Viertel[58] müsse, um ihren Plattenspieler von einem Bekannten zurückzuverlangen, der ihn nicht herausgeben wollte. Dessen Mutter hatte sie schon einmal herausgeworfen, so daß sie nicht noch einmal alleine hingehen wollte. Carmen fing an zu weinen. Wir hatten uns immer sehr um sie gekümmert, seit ihre Mutter gestorben war. Ich sagte also: „Laß uns losfahren, Carmen. Ich werde dir helfen, deinen Plattenspieler zurückzubekommen." Wir nahmen uns ein Taxi nach Porvenir und kamen an der Avenida Veintiocho de Julio vorbei. Carmen fragte mich, wo ich denn jetzt wohne, und ich wollte es ihr zeigen. Da bemerkte ich, daß Ricardos Auto vor unserem Haus parkte, und bat den Taxifahrer, sofort anzuhalten.

Schnell erklärte ich Carmen, daß ich nachsehen mußte, weshalb Ricardos Auto vor dem Haus stand, was etwas merkwürdig war. Ich ging in den zweiten Stock, wo wir wohnten, und klingelte. Es war ein Winternachmittag, und in der Wohnung brannte Licht, das plötzlich ausgeschaltet wurde. Ich klingelte Sturm, aber niemand öffnete. Ich wußte, daß Ricardo da war, denn sein Wagen stand ja vor dem Haus. Er öffnete aber nicht. Ich setzte mich ins Treppenhaus, erst wütend, dann traurig. Drei Stunden saß ich dort. Meinen Schlüssel hatte ich bei meiner Mutter gelassen. Wenn ich jetzt nach Rímac fahren würde, um ihn zu holen, würde er entkommen. Ich wollte wissen, was er tat und mit wem er in der Wohnung war. Plötzlich hörte ich seine Schritte. Er öffnete die Tür, um zu sehen, ob jemand im Flur war. Ich packte ihn und zog ihn heraus: „Mit wem bist du in der Wohnung? Was machst du? Warum machst du mir nicht auf?" Als ich in die Wohnung kam, sah ich unser Hausmädchen. Das wunderte mich: Wir waren zusammen aus dem Haus gegangen, ich hatte sie in die Buslinie 22 gesetzt und sogar ihre Fahrkarte bezahlt. Die beiden hatten sich also verabredet, und sie war zurückgekommen. Ich war sprachlos vor Wut. Luisita stotterte: „Es ist nicht meine Schuld, Señora, ihr Mann hat mir gesagt ..." – „Raus mit dir, raus! Ich werde mit ihm reden. Raus!" – „Aber Señora ..." Da gab ich ihr eine Ohrfeige und schrie: „Raus, verdammt noch mal!" Ich heulte vor Wut und war sehr verletzt.

Das war nicht alles. Ich lief zum Herd und holte Kerosin, das ich über die Matratze kippte. Es war eine Paraíso-Matratze, die wir gerade neu gekauft hatten. Auch die Sessel und die anderem Möbel übergoß ich mit Kerosin. „Ich werde alles anzünden! Alles ...", rief ich. Gerade noch rechtzeitig fiel mir auf, daß ich dann auch selbst verbrennen und das sechsstöckige Wohnhaus in Brand setzen würde. Da ergriff ich ein Messer, eine Schere und zerschnitt alles, was in meiner Reichweite war. Ich warf seine Kleider weg. Er hatte ein oder zwei Anzüge in unserer Wohnung, die übrigen Kleider bewahrte er bei seinen Eltern auf. Ich machte fast alles kaputt, wie eine Verrückte. Dann ging ich. Später suchte ich Luisitas Mutter auf. Ich erzählte ihr, was vorgefallen war, und sagte, daß ich keine Verantwortung für die Folgen übernehmen würde. Als sie hörte, was vorgefallen war, regte sie sich auf: „Das darf doch nicht wahr sein, Señora! Das ist ja ungeheuerlich. Ich werde dieses Mädchen bestrafen. Daß sie mir so etwas antun konnte!" In Wirklichkeit war sie allerdings über die Beziehung der beiden im Bilde, wie ich später erfuhr.

Nun mußte ich mein Leben wieder einmal neu organisieren. Ich zog aus der gemeinsamen Wohnung aus und ließ dort alles zurück, weil ich Ricardo nicht mehr sehen wollte. Einmal kündigte Ricardo an, er werde mir meine Sachen vorbeibringen. Die Möbel könne ich reparieren lassen: „Du hast in deinem Anfall von Wahnsinn die Polster zerschnitten.“ Aber dann schenkte er die Möbel seiner Schwester, obwohl ich einige davon selbst gekauft hatte. Nach der Trennung von Ricardo traf ich mich nur noch selten mit ihm. Ich suchte mir ein Häuschen in Rímac und wohnte dort mit meinen beiden Töchtern. Eine meiner Schwestern half mir in dieser Zeit sehr. Ich begann, wieder zur Schule zu gehen, und als ich den Abschluß hatte, konzentrierte ich mich auf die politische Arbeit.

# Politik und Lebenserfahrung

Ich arbeitete weiterhin mit Duncan und den anderen trotzkistischen Genossinnen und Genossen von der Katholischen Universität zusammen. Anfangs, als Duncan mir seinen politischen Unterricht erteilte, war ich wütend und genervt, weil ich nichts verstand. Ich sagte mir: „Was soll ich jetzt wieder diesem langweiligen Typen zuhören?!“ Aber ich war ja mit ihm verabredet. Außerdem holte mich Norma, eine Studentin der Katholischen Universität, von der Arbeit ab, um gemeinsam zum Treffpunkt zu gehen, wo Duncan auf uns wartete. Das Parteibüro war ganz in der Nähe, aber zunächst nahmen sie mich dorthin nicht mit. Sie wollten erst sicher gehen, daß ich alles verstanden hatte, was sie mir erklärten.

Zuerst fiel es mir schwer, mich innerhalb der Parteipolitik zurechtzufinden, aber mit der Zeit verstand ich das alles etwas besser, und es war wie ein Erwachen für mich. Am Anfang hatte ich allerdings Angst, von zuhause wegzugehen und als Gewerkschaftsführerin in einer Provinzstadt vor Arbeiterinnen und Arbeitern zu sprechen. Ich hatte regelrecht Magenschmerzen bei der Vorstellung, Lima zu verlassen. Manchmal mußten wir drei, vier oder fünf Tage auf einem Kongreß irgendwo in der Provinz verbringen. Ich entschloß mich, in die politische Arbeit einzusteigen, obwohl mir die Entscheidung nicht leicht fiel: Die schlechten Erfahrungen mit der CTP, dem Rechtsanwalt und den linken Gewerkschaftern, die mich ausgrenzen wollten, steckten mir noch in den Knochen. In dieser Zeit gab es heftige Konflikte zwischen der APRA-Partei und der Linken. Die Erfahrungen, die ich damals machte, prägten mich und trugen dazu bei, daß ich mich in der politischen Linken zuhause fühlte.

Auch meine Mutter hatte sich aufgrund von negativen Erfahrungen von der APRA-Partei, in der sie jahrelang Mitglied gewesen war, distanziert. Sie konnte nicht vergessen, was mir mit sechzehn Jahren passiert war, als sie mir einen Job bei ihren Parteifreunden, zwei Rechtsanwälten, besorgt hatte. Einer von ihnen war ein bekannter APRA-Politiker. Sie brauchten zwei junge Mädchen, um ihnen im Büro zu helfen. Die Arbeit schien zunächst nicht schwer zu sein: Wir sollten die Namen der Klientinnen und Klienten notieren und sie nacheinander einlassen. Zum Vorstellungsgespräch ging ich mit meiner Freundin Lucy, einem hübschen Mädchen aus Cajamarca[59], das bei uns in der Nähe wohnte. Die Büros befanden sich in der Avenida Emancipación. Mein erster Arbeitstag lief gut, der zweite auch. Aber am dritten Tag, als ich gerade gehen wollte und meine Sachen packte, bat mich der Anwalt, einen Moment zu warten, er wolle mit mir reden. Ich sollte auf einem sehr bequemen Sessel Platz nehmen und war etwas eingeschüchtert, da ich sein Verhalten merkwürdig fand.

Nach einigen Minuten des Schweigens fragte er mich: „Wie alt bist du denn?“ Ich antwortete: „Sechzehn.“ Er berührte mein Gesicht: „Und wieviele Liebhaber hattest du schon?“– „Keinen einzigen.“ Das war gelogen, aber ich schämte mich ja sogar, meiner Mutter davon zu erzählen, und einen Fremden wie ihn ging das schon gar nichts an. Er rückte noch etwas näher: „Also hat dich noch nie einer so angefaßt.“ Dabei versuchte er, meine Brust zu berühren. Ich wich ihm aus und versuchte, mich in Sicherheit zu bringen. Als ich versuchte, zu meinem Schreibtisch im Vorzimmer zu gehen, sagte er lächelnd: „Warte noch einen Moment, ich möchte mit dir reden.“ Ich war ziemlich nervös, denn die letzten Leute verließen bereits das Wartezimmer. Als ich hinausrennen wollte, war er schneller und schloß die Tür. Er riß mich an sich und versuchte brutal, mich zu küssen. Ich kratzte ihn und begann, um Hilfe zu rufen. Im Nachbarbüro befand sich eine Arztpraxis. Der Arzt hörte mich und begann, an die Tür zu klopfen: „Was ist los, Herr Anwalt?“ Dieser wurde etwas nervös: „Einen Moment, bitte, ich komme ja schon.“ Der Arzt hörte nicht auf zu klopfen, und der Anwalt öffnete die Tür einen Spalt. Da schrie ich: „Ich will hier raus, aber er läßt mich nicht!“ Der Anwalt versuchte, die Tür wieder zu schließen, während ich auf ihn einschlug. Der Arzt stellte seinen Fuß in den Türspalt: „Lassen Sie das Mädchen doch gehen.“ Da mußte der Anwalt mich hinauslassen.

Weinend kam ich nach Hause und erzählte meiner Mutter, was geschehen war. Dieser Vorfall trug maßgeblich dazu bei, daß meine Mutter ihr Vertrauen in die APRA-Partei verlor. Ich erinnere mich noch, daß sie sagte: „Was habt ihr mit meiner Tochter gemacht?! Ich habe euch nie gebraucht, verdammt noch mal! Jahrelang habe ich mir den Mitgliedsbeitrag vom Mund abgespart – und so zahlt ihr mir das heim?“

Meiner Freundin Lucy, die in dem Büro des anderen APRA-Anwalts arbeitete, war es nicht viel besser ergangen. Sie hatte damals einen Freund aus Cajamarca, den sie bald heiraten wollte. Aber der Anwalt hatte sie gezwungen, mit ihm zu schlafen, und sie hinterher zu seiner Geliebten gemacht. Wenn es Probleme gab, hielt Lucy den Kopf für ihn hin, und sie wäre für ihn durchs Feuer gegangen. Sie war jahrelang seine Geliebte, bis er sie hinauswarf und eine andere Sekretärin einstellte. Als er sie entließ, zahlte er ihr nicht einmal die gesetzliche Abfindung. Als sie mir weinend erzählte, was sie erlebt hatte, berichtete ich ihr, daß ich ähnliche Erfahrungen gemacht hatte.

Ich verstand nach und nach mehr von Politik und versuchte meiner Mutter zu erklären, daß die Linken anders sind. Ich erinnere mich noch, daß einmal ein Kongreß der APRA-Partei stattfinden sollte und ein Parteifunktionär meine Mutter aufsuchte. Er forderte sie auf, am Kongreß teilzunehmen, weil sie Parteimitglied war. Aber meine Mutter hatte inzwischen ein distanziertes Verhältnis zur APRA und wollte nicht hingehen. Als der Funktionär sie aufforderte zu gehorchen, gab sie zur Antwort: „Ich gehorche überhaupt niemandem! Ich bin nur meiner Tochter Rechenschaft schuldig, denn sie bringt das Geld nach Hause, damit wir zu essen haben.“ Der Konflikt war damit aber noch nicht beendet. Damals war es üblich, daß in der APRA eine strenge Parteidisziplin herrschte, die notfalls auch mit einer Tracht Prügel durchgesetzt wurde. Der Funktionär kündigte an, die Disziplinarkommission der APRA bei meiner Mutter vorbeizuschicken. Da mischte ich mich ein: „Ach, wollen Sie uns drohen?“ Meiner Mutter riet ich, die Funktionäre rauszuwerfen, wenn sie kämen. „Uns kommt keiner von der APRA mehr ins Haus! Schluß mit der Parteidisziplin! Wenn sie mit ihren Knüppeln kommen, müssen wir uns wehren.“

Ich unterhielt mich damals oft mit Gildo, der Journalismus studierte und in unserem Viertel wohnte. Er war kein PCP-Anhänger, sondern gehörte zur unabhängigen Linken. Ich erzählte ihm, was bei uns zuhause passiert war. Wir schlossen uns mit Armando, der an der UNI [60], der Nationalen Universität für Ingenieurwissenschaft, studierte, und anderen jungen Leuten aus Rímac zusammen, um uns in unserem Viertel zu engagieren. Rímac war immer in den Händen der APRA-Partei gewesen, und meine Mutter war Mitglied des lokalen Vorstands. Die bevorstehenden Vorstandswahlen waren wohl auch ein Grund, weshalb der APRA-Funktionär meine Mutter aufgesucht hatten. Ich hatte nämlich mit den anderen jungen Leuten eine unabhängige Liste aufgestellt, um die APRA herauszufordern. Die APRA-Leute wollten also meine Mutter einschüchtern, damit wir unsere Liste zurückzögen und meine Mutter wieder ihr Amt übernahm, wie sie es all die Jahre getan hatte.

Eines Tages kamen tatsächlich einige APRA-Leute mit Knüppeln bei meiner Mutter vorbei, und es gab eine Schlägerei. Sie nahmen Gildo mit. Es war ein übler Vorfall, über den sogar in den Zeitungen berichtet wurde. Gildo wurde später an einer Schnellstraße, der nördlichen Panamericana[61], aufgefunden. Er hatte einen Schädelbruch, sie hatten ihn fast totgeschlagen. Er überlebte zwar, aber die APRA hatte auf diese Weise verhindert, daß er zum Vorsitzenden des Stadtviertels gewählt wurde. Aufgrund dieser harten Erfahrungen festigte sich meine politische Position, und auch meine Mutter distanzierte sich mehr und mehr von ihrer Partei.

Eines Tages teilte ich Duncan mit, daß ich genug politischen Unterricht erhalten hatte. Ich hatte schon begriffen, was der Klassenkampf war, welche Rolle den Arbeiterinnen und Arbeitern zukam und wie wir ausgebeutet wurden. Ich bat Duncan, die Sozialistische Arbeiterpartei (PST)[62], der er angehörte, näher kennenlernen zu dürfen. Er hatte mir ganz am Anfang gesagt: „Wenn du eintreten willst, sag' mir Bescheid!" Das war sehr wichtig, denn wenn er mich gleich zum Beitritt hätte überreden wollen, hätte mich das abgeschreckt. Er nahm mich zum Parteibüro mit und stellte mich den anderen Genossinnen und Genossen vor, denen er sagte, daß ich die dreimonatige Probezeit bereits bestanden hatte. Bis zu diesem Zeitpunkt hatte ich überhaupt nicht gemerkt, daß er mich auf die Probe gestellt hatte. So wurde ich Parteimitglied.

Ich arbeitete in der Partei mit, weil ich überzeugt von dem war, was dort vertreten wurde. Es war eine gute Zeit, eine Zeit des Kampfes. Ich erinnere mich zum Beispiel an die Ankunft von Hugo Blanco aus dem schwedischen Exil, den Marsch vom Flughafen durch den Stadtteil San Martín de Porres.[63] Leider hat die Linke viele Sympathien durch unsinnige Flügelkämpfe verspielt, die uns nicht weitergebracht haben. Sie haben dazu beigetragen, andere politische Kräfte zu stärken, die heute in Peru großen Schaden anrichten. Erst nach vielen Rückschlägen haben wir unsere Fehler bemerkt.

An der Spitze der linken Parteien standen meistens Intellektuelle. Sie waren maßgeblich an den Flügelkämpfen beteiligt. Statt der Gemeinsamkeiten betonten sie die politischen Unterschiede, ohne die Kosten der Spaltungstendenzen zu bemerken. Ich glaube, daß die Arbeit der Intellektuellen eine wichtige Rolle in der Politik spielt, aber in ihren Konzepten müssen sie auf die peruanische Realität bezugnehmen. Ein peruanischer Theoretiker, der besonders integer und revolutionär war, war José Carlos Mariátegui.[64]

Bei der Gründung eines neuen politischen Bündnisses machten wir schlechte Erfahrungen. Nachdem wir stundenlang über einen geeigneten Namen diskutiert hatten, machte ein sehr bekannter Genosse den Vorschlag, das Bündnis „Arbeiter-, Bauern- und Studentenfront Perus" (FOCEP)[65] zu nennen. Wir stimmten diesem Namen, der alle Gruppierungen einzubeziehen schien, mehrheitlich zu und sammelten eifrig Unterschriften, um zu erreichen, daß unser Bündnis zu den Wahlen zur Verfassungsgebenden Versammlung zugelassen würde, die 1978 stattfanden.

Wir waren allerdings äußerst überrascht, als wir hinterher erfuhren, daß der Genosse bereits vor einigen Jahren ein gleichnamiges Bündnis im zentralen Andenhochland hatte registrieren lassen und jetzt unsere Unterschriften verwendete, um eine landesweite Zulassung für seine eigene Partei zu erreichen. Unser Bündnis, an das sich sogar die PCP anschließen wollte, fiel dem Ehrgeiz eines einzelnen Mannes zum Opfer.

Die Flügelkämpfe innerhalb der PST hatten sich mittlerweile verschärft. Einen heftigen Konflikt lösten die Ratschläge von unserer argentinischen Schwesterpartei aus, die sich ständig in unsere Entscheidungen einmischen wollte. Allerdings half sie uns auch, die Miete für unser Parteibüro aufzubringen. Ihre Standardrezepte sollten wir auf unsere Situation anwenden, ohne unsere eigenen Erfahrungen und Fortschritte zu berücksichtigen. Mich störte, daß sich die argentinischen Genossinnen und Genossen verhielten, als hätten sie die Wahrheit gepachtet. Es kam zum Eklat, als einer unserer Genossen rief: „Verdammt noch mal! Wir sollten uns endlich aufrappeln und alleine laufen lernen!" Daraufhin wurde er gezwungen, die PST zu verlassen. Nach heftigen, polemischen Auseinandersetzungen kam es schließlich zur Spaltung der PST.

Einige Dissidentinnen und Dissidenten der PST, darunter auch Hugo Blanco, gründeten gemeinsam mit anderen linken Gruppierungen die Revolutionäre Arbeiterpartei (PRT).[66] In meiner alten Partei war ich nur ein einfaches Mitglied gewesen, aber jetzt wurde ich in die Führungsspitze gewählt. In der PRT fühlten wir uns wohler, die Atmosphäre war offener und herzlicher, und so konnten wir besser arbeiten. Zu Beginn hatte unsere Partei regen Zulauf. Später gab es allerdings interne Streitigkeiten. Es heißt ja: „Wo ein Trotzkist ist, fangen die Probleme schon an." Nach kurzer Zeit bekamen wir Besuch von unserer mexikanischen Schwesterpartei, und es begannen die gleichen Schwierigkeiten, die wir vorher mit den argentinischen Genossinnen und Genossen gehabt hatten. Das machte mich rasend. Sie luden einige Parteimitglieder nach Mexiko ein, darunter auch mich, weil ich am meisten herumgemeckert hatte. Dort versuchte ich unseren peruanischen Standpunkt zu erläutern, stieß aber auf taube Ohren.

Was mir – wie auch vielen anderen – sehr zu denken gab, war der Zerfall der großen linken Einheitsfront, der Revolutionären Linksallianz (ARI).[67] Sie überdauerte nur wenige Monate und zerfiel vor den Parlamentswahlen, die 1980 – nach zwölfjähriger Militärregierung – stattfanden. So ging der erste demokratische Frühling dahin, und wir verloren eine historische Gelegenheit, maßgeblichen politischen Einfluß auszuüben.

Vor den Parlamentswahlen war ich übrigens vom Parteiplenum auf den ersten Listenplatz gesetzt worden, mußte ihn dann aber an einen Gewerkschaftskollegen abtreten, der gerade entlassen worden war. Sein Listenplatz war nicht so sicher gewesen wie meiner. Schließlich wurde der Kollege ins Parlament gewählt, während mir nur 20 Stimmen zu einem Parlamentssitz fehlten.

Im Jahre 1980 wurde erneut eine linke Einheitsfront gebildet: die Vereinigte Linke (IU).[68] Einige Gruppierungen wollten die trotzkistischen Parteien ausschließen, weil sie unseren politischen Weg nicht anerkennen wollten. Wir sollten nur als Einzelmitglieder zugelassen werden. In der Politik ist es schwierig, einander trotz der Unterschiede gelten zu lassen und Gemeinsamkeiten zu suchen. Diese Verhaltensweisen haben uns sehr geschadet. Es waren Irrtümer, die viele Menschen enttäuscht haben.

Die Rechte ist natürlich keinen Deut besser. Sie zwingt uns ja sogar eine Verfassung und eine Regierung auf. Die historischen Anstrengungen von Arbeiterinnen und Arbeitern und der ländlichen Bevölkerung, eine gerechtere Gesellschaft aufzubauen, in der es sich in Würde leben läßt, respektiert sie nicht. Besonders die gegenwärtige Regierung tritt die Errungenschaften, die von der Bevölkerung erkämpft wurden, mit Füßen. Zwar haben wir jetzt wieder einmal eine neue Verfassung bekommen, aber die grundlegenden Probleme Perus bleiben ungelöst.

Aus meiner Sicht als Frau gab es vieles, was mir in der Partei nicht paßte. Zum Beispiel hatten wir Frauen lange keine politischen Ämter. Das änderte sich erst, als wir die „Organisationskommission der peruanischen Frau" (COMUP) gegründet hatten. In der linken Bewegung hatte es Frauen wie Clara Zetkin[69] gegeben, die sich für die Gleichheit von Mann und Frau in den politischen Parteien eingesetzt hatten. Das konnte doch nicht alles umsonst gewesen sein? Nach einiger Zeit stießen wir auch auf ein Dokument der Vierten Internationale, in dem klare Beschlüsse zu den Rechten der Frau zu finden waren. Schließlich begann sich meine Partei – mittlerweile die PRT – in dieser Hinsicht zu ändern. Ich wurde zur Leiterin des Gewerkschaftsausschusses ernannt, in dem außer mir noch fünf weitere Frauen mitarbeiteten, und war damit Mitglied des Zentralkomitees der Partei. Außerdem wurde der „doppelte Aktivismus" beschlossen, das hieß, daß wir sowohl in der Partei als auch in der Frauenbewegung aktiv sein konnten. Trotzdem traten einige Genossinnen aus der Partei aus, um in der Frauenbewegung aktiv zu werden.

Was mich auch sehr störte, war, daß meine Parteigenossen jeden Tag mit einer anderen Frau ins Bett gehen wollten. Als ich sie kritisierte, warfen sie mir vor, ich sei der bürgerlichen Moral verhaftet. Ich finde schon, daß wir eine gewisse Ethik haben sollten, wenn wir uns als revolutionär bezeichnen. Das sollten nicht unbedingt bürgerliche Moralvorstellungen sein, aber auch keine importierten Konzepte. Wir sollten das Gefühl haben, daß das, was wir tun, richtig ist, und wissen, warum wir es tun. Den Sozialismus zur Rechtfertigung bestimmter Verhaltensweisen heranzuziehen, ist jedenfalls inakzeptabel, vor allem, wenn es um Parteifunktionäre geht. Mir ist es manchmal passiert, daß ich zu einer Besprechung zitiert wurde und der betreffende Genosse begann, eindeutige Anspielungen zu machen. Da ich nichts davon halte, Sex als Mittel der Politik einzusetzen, fand ich in solchen Situationen klare, eindeutige Worte. Natürlich waren nicht alle Funktionäre so. Innerhalb der Linken habe ich auch Respekt, Anerkennung, Solidarität und viele Anregungen erfahren. Deshalb setzte ich meine Arbeit fort und identifizierte mich mit den Zielen der Partei.

Die politische Arbeit hat viel zur Entwicklung meiner Persönlichkeit beigetragen, denke ich. Sie hat mir geholfen, die Ausbeutung zu erkennen, der wir Arbeiterinnen und Arbeiter ausgesetzt sind. Ich habe die verschiedenen Strömungen innerhalb der linken Bewegung kennengelernt und begriffen, daß sich Menschen in anderen Ländern auch organisieren und ähnliche Kämpfe führen wie wir. Ich habe verstanden, daß die Armen nicht etwa faul sind, sondern daß Armut auf bestimmte ökonomische und politische Faktoren zurückzuführen ist. Meine Großeltern arbeiteten für einen Gutsbesitzer, der seine Söhne zum Studium ins Ausland schicken konnte. Er lebte von der Arbeit meiner Großeltern, die ihr Leben lang sehr arm waren. Sie hatten auch Kinder und viele unerfüllte Bedürfnisse, konnten sich aber nie auch nur das kleinste Stück Land kaufen.

Die Arbeiterinnen und Arbeiter haben seither viele soziale Errungenschaften durchgesetzt. Schon 1918/19, zur Zeit Mariáteguis, konnte in Peru der Acht-Stunden-Tag erkämpft und der erste Gewerkschaftsdachverband gegründet werden. Ich glaubte an die linke Bewegung, weil sie immer die Interessen der Armen, also breiter Bevölkerungsschichten, vertreten hat. Von der Rechten kann das nicht gerade behauptet werden, obwohl sie sich in letzter Zeit ebenfalls diesen Anstrich gibt. Heute heißt es oft, der Sozialismus sei tot. Das glaube ich nicht, aber er muß weiterentwickelt werden, damit er nicht zu erstarrten Konzepten und Ideen führt.

Jetzt kann ich mich wohl nicht mehr als politische Aktivistin bezeichnen, denn nach einer schweren Krankheit habe ich mich aus der Parteipolitik zurückgezogen. Die PRT ist an internen Problemen zerbrochen, als Hugo Blanco mit einem Großteil der Basis zur Vereinigten Mariateguistischen Partei, der PUM[70], übertrat. Einige Gewerkschaftskolleginnen und

-kollegen, darunter auch ich, mochten diesen Schritt allerdings nicht nachvollziehen, und wir blieben in unserem alten Parteibüro.

Die Situation der peruanischen Linken ist heute desolat. Es gibt viel Chaos und Desorganisation, und alle machen, was sie wollen. Vor einiger Zeit hat der „Leuchtende Pfad"[71] einen unserer Genossen, Roberto Chiara, ermordet, der in der Fabrik „El Diamante" gearbeitet hatte. Das war eine Tragödie und hat die Organisation weiter geschwächt. Die Leute erschraken: „Wie ist das nur möglich? Hatten wir nicht früher einmal gemeinsam für gesellschaftliche Veränderungen gekämpft? Und jetzt ermordet der ‚Leuchtende Pfad' unter Zuhilfenahme falscher Beschuldigungen einen unserer Genossen ...!" Jetzt muß der Kampf also an mehreren Fronten gleichzeitig geführt werden. Wir müssen uns vor dem „Leuchtenden Pfad" in acht nehmen, denn diese Leute sind bewaffnet, wir dagegen nicht.

# Jetzt weiß ich, wie die Dinge stehen

Alles, was ich erlebt habe, hat mich wachsen lassen. Die Lernprozesse waren schmerzhaft, aber mir ist inzwischen einiges klar geworden. Eine Niederlage in einzelnen Schlachten heißt noch lange nicht, daß der ganze Kampf umsonst gewesen wäre. Wenn wir Frauen zu zittern anfangen und uns unter dem Bett verstecken, haben wir schon verloren.

Meine Gewerkschaftsarbeit hatte Auswirkungen auf mein Privatleben. Das Scheitern der Beziehung zu Ricardo hing damit zusammen. Als ich mich von ihm getrennt hatte, lebte ich mit meinen beiden Töchtern zusammen. Ich arbeitete weiterhin bei Schering, und das Leben ging weiter. Meine Familie unterstützte mich, wenn ich sie brauchte. Eine meiner Schwestern kümmerte sich um meine Kinder, während ich arbeitete und gewerkschaftlich aktiv war.

Ich mußte kämpfen, um mein Leben zu ändern. Eine der Lehren, die ich aus den Härten des Lebens zog, betraf die Mißhandlungen und Schläge. Als ich klein war, hatte meine Mutter mich oft geschlagen. Sie hielt das für eine Erziehungsmethode. Einmal band sie mich nachts am Bett fest. Als ich aufwachte, war ich gefesselt. Sie verprügelte mich immer, wenn sie meinte, daß ich etwas falsch gemacht hatte. Ich habe viel darüber nachgedacht, und mir wurde klar, daß Schläge keinen Sinn haben. Sie schüchtern die Kinder ein, verunsichern sie und machen sie klein. Ich entschloß mich, meine Töchter niemals zu schlagen. Wenn ich mich sehr über sie ärgere, schreie ich sie höchstens an. Ich habe versucht, meinen Töchtern eine Freundin zu sein und keine strafende Mutter, die sie ständig auf ihre Fehler aufmerksam macht und ihnen alles verbietet. Was die Generation unserer Eltern mit uns gemacht hat, wollte ich nicht wiederholen. Als meine Töchter klein waren, hatte ich sehr wenig Zeit für sie. Dafür konzentrierte ich mich in den Stunden, die wir zusammen verbringen konnten, ganz bewußt auf sie.

Ich versuchte, ein Vertrauensverhältnis zu meinen Töchtern aufzubauen. Aber als meine ältere Tochter noch in die Schule ging, überraschte sie mich damit, daß sie schwanger wurde. Ich hatte sie gebeten, mir vertrauensvoll alles zu erzählen. „Ich bin nicht so wie die anderen Mütter", sagte ich ihr immer wieder. Da ich bei Schering arbeitete, besorgte ich sogar Anti-Baby-Pillen und legte sie auf eine Konsole. Ich sah meiner Tochter in die Augen und sagte: „Wenn du eines Tages merkst, daß dein Körper deinen Verstand besiegt und du deine Jungfräulichkeit aufgeben willst, dann erinnere dich an die Pillen." Ich erklärte ihr genau, wann sie die 21 Pillen einnehmen mußte und gab ihr alle nötigen Informationen. Damals war AIDS noch kein Problem, sonst hätte ich ihr natürlich geraten, ein Kondom zu benutzen. Eines Tages bemerkte ich, daß immer weniger Pillen auf der Konsole lagen, und fragte meine Tochter: „Nimmst du jetzt die Pille?" – „Nein, Mami, wie kommst du denn darauf?!" – „Ich wollte dich nicht kritisieren, sondern nur Bescheid wissen und dir helfen", sagte ich. Ich wollte wissen, mit wem sie zusammen war. Sie log mich an und behauptete, daß sie die Pillen ihrer Tante gegeben habe.

Eines Tages erzählte sie mir, sie sei schwanger. Zuerst war ich sehr verletzt und weinte, weil ich mich hintergangen fühlte. Ich machte ihr Vorwürfe: „Ich habe versucht, dich anders zu erziehen und dir eine Freundin zu sein. Und jetzt habe ich das Gefühl, daß du mich belogen hast!" Am schlimmsten fand ich es, daß sie mich weinend bat, sie zu einem Abtreibungsarzt zu bringen, obwohl sie schon im vierten Monat war. Das kam für mich nicht in Frage. Ich erklärte: „Du bist wohl verrückt geworden?! Wenn du mir im ersten Monat von deiner Schwangerschaft erzählt hättest, wäre es etwas anderes gewesen. Aber jetzt werde ich nicht mehr mit dir zum Arzt gehen." Ich war natürlich in gewissem Sinne mitverantwortlich für ihre Situation. Die Arbeit bei Schering und mein gewerkschaftliches Engagement brachten es mit sich, daß ich meistens erst spät nach Hause kam, wenn meine Tochter schon schlief. Am nächsten Tag mußte ich wieder früh aufstehen, und so war mir ihre Schwangerschaft nicht aufgefallen. Als sie mir davon erzählte, war es zu spät, und so wurde sie Mutter eines Sohnes, meines ersten Enkelkindes.

Wir sprachen viel über diesen Vorfall. Ich konnte nicht verstehen, wieso sie kein Vertrauen zu mir gehabt hatte, vor allem, als ich erfuhr, daß der Vater des Kindes ein Genosse aus meiner Partei war. Ich vertraute meinen Genossen damals, sie waren wie Brüder für mich. So hoffte ich, daß der Genosse, der sich als Linker bezeichnete, meine Tochter gut behandeln würde. Sie zog mit ihm zusammen, ohne Trauschein. Die Linke hielt die Ehe ja für eine bürgerliche Lebensform. Ich war damit einverstanden: Wenn sie sich wirklich gern hatten und zusammenleben wollten, ohne zu heiraten, war es in Ordnung. Aber ich hatte mich in dem Genossen schwer getäuscht: Er begann, meine Tochter zu schlagen. Diese Vorstellung war mir unerträglich. Ich hatte eine solche Situation ja selbst erlebt und würde nicht zulassen, daß es meinen Töchtern ebenso ging. Ich hatte ihnen immer eingeschärft: „Ihr dürft euch von niemandem schlagen lassen. Menschen können sich untereinander mit Worten verständigen.

Ihr seid nie von mir geschlagen worden, und ihr dürft es nicht zulassen, daß euch irgendjemand anders schlägt."

Eines Tages rief mich meine Tochter bei der Arbeit an. Weinend sagte sie: „Mama, es geht mir sehr schlecht. Ich wollte dir viele Grüße und einen Kuß schicken ..." – „Was hast du? Ich will dich heute noch sehen", antwortete ich ihr. Ich hatte den Verdacht, daß etwas passiert war. Sie wohnten im Pro-Viertel[72], wo der Genosse ein Grundstück gekauft hatte. Als ich dort ankam, sah ich bestürzt, daß meine Tochter ein blaues Auge hatte und ihr Gesicht angeschwollen war. Ihr Freund wollte mich gleich wieder wegschicken und schrie: „Wenn du hereinkommst, bringe ich dich um!" Da kannte er mich aber schlecht. Ich hatte in meinem Leben zu viele Kämpfe durchzustehen gehabt, als daß mich jemand so einfach hätte einschüchtern können. Meine Lektion hatte ich schon gelernt. Ich packte eine Spitzhacke, die gerade herumlag, und ging auf ihn los. Er ergriff die Flucht. Meine Tochter stand weinend mit ihrem dicken Bauch dabei, sie war schon im achten Monat. Ich sah, daß sie große Angst vor dem Genossen hatte. Trotzdem – oder gerade deswegen – bat sie mich zu gehen. Ich traute meinen Ohren nicht und sah sie zweifelnd und liebevoll an: „Wenn du wirklich willst, dann bleib' hier. Aber du kannst auch mit mir mitkommen, es ist deine Entscheidung. Laß dich von diesem Mann nicht einschüchtern!" Er stand in der Nähe und hörte zu, während ich ihm mit der Spitzhacke drohte. Trotzdem wagte er es noch, mir zu sagen: „Du hast kein Recht, meine Frau mitzunehmen!" – „Deine Frau?! Sie ist ein freier Mensch und gehört überhaupt niemandem. Sie wird mit dir zusammenbleiben, solange sie das möchte. Wenn sie sich mißhandelt und erniedrigt fühlt, kann sie zu mir nach Hause zurückkommen. Das ist überhaupt kein Problem. Ich habe zwei Töchter großgezogen und kann auch noch ein weiteres Kind unterhalten." Da überlegte sie nicht länger und entschloß sich, mit mir zu kommen. Ich bat sie, nichts mitzunehmen, denn wenn sie in ihr Zimmer gegangen wäre, hätte der Genosse ihr den Weg versperren können. Dieses Risiko konnten wir jetzt nicht eingehen.

Mein Enkel kam an meiner Seite zur Welt, und meine Tochter lebte wieder bei mir. Der Genosse wollte es noch einmal mit ihr versuchen, aber sie hatte große Angst vor ihm. Ich hatte es ihr freigestellt, zu ihm zurückzugehen, weil ich mir später nicht den Vorwurf anhören wollte, ich hätte sie gezwungen, ihn zu verlassen. Ich hatte ihr klar und deutlich gesagt, daß sie für ihr Leben selbst verantwortlich sei. So vergingen die Jahre, bis sie sich in einen anderen Mann verliebte, mit dem sie jetzt verheiratet ist und eine Tochter hat. Mein Enkel ist heute noch wie ein drittes Kind für mich, weil er so lange bei mir gewohnt hat.

Welche Rolle spielte meine parteipolitische Überzeugung in der Erziehung meiner Töchter? Ich bin Trotzkistin und habe meine Töchter mit linken Ideen vertraut gemacht, allerdings in einem sehr allgemeinen Sinn. Nie habe ich meine Töchter indoktriniert oder sie gezwungen, mit zur Partei zu kommen, obwohl die Beschlußlage in dieser Hinsicht eindeutig war. Meine Töchter sollten frei entscheiden, was sie aus ihrem Leben machen wollten. Ich sagte ihnen immer: „Ich kann euch eine Orientierung geben, aber entscheiden müßt ihr selbst. Mein Leben kann euch einen Anhaltspunkt geben, soll euch aber zu nichts verpflichten." Meine jüngere Tochter besucht jetzt die Universität, hoffentlich gelingt es ihr, das Studium zu beenden.

Von der Liebe blieb ich nicht verschont: Einige Jahre nach meiner gescheiterten Beziehung mit Ricardo war ich eine Weile mit einem Gewerkschaftsfunktionär aus dem Bankensektor zusammen. Ich hatte ihm viel von meinem Leben erzählt und dachte, daß wir uns verstehen würden und uns wie erwachsene Menschen unterhalten könnten. Außerdem hatten wir ja eine Gemeinsamkeit, die Gewerkschaftsarbeit. Aber die linken Genossen haben bekanntlich auch ihre Schwächen. Eines Tages waren wir zu einem Essen in der Nähe der nördlichen Panamericana eingeladen. Er hatte keine Zeit mitzukommen, weil er einen Termin hatte, wie er sagte. An diesem Tag sah ich ihn in der Avenida Colmena – händchenhaltend mit einer anderen Frau. Ein kleines Kind war auch dabei, das ihm sehr ähnlich sah. Er hatte mir nie einen Ton gesagt, aber ich wußte jetzt, was Sache war. Wir trennten uns zweimal, aber er wollte mich immer wieder sehen. Ich fühlte mich auch oft einsam ohne ihn, oder ich wollte ins Kino gehen und brauchte Begleitung. Formal sind wir Peruanerinnen vielleicht gleichberechtigt, aber faktisch können wir nicht einmal alleine ins Kino gehen. Wenn eine Frau alleine hingeht, hat sie plötzlich eine Hand auf ihrem Knie. Die betreffenden Männer tun dann auch noch so, als sei es versehentlich passiert, und sagen: „Oh, Entschuldigung!" Aber sie tun es mit Absicht, denn sie akzeptieren es nicht, daß eine Frau alleine ins Kino geht.

Zum endgültigen Bruch mit ihm kam es, als ich 1987 am 4. Feministischen Treffen Lateinamerikas und der Karibik teilnahm, das in Mexiko stattfand. Er wollte mir verbieten, dort hinzufahren, und drohte mir: „Wenn du nach Mexiko fährst, werde ich auch tun, worauf ich Lust habe!" – „Hör mal, daß ich nach Mexiko fahre, ist keine Frage der Lust, sondern meines Engagements in der Frauenbewegung", versuchte ich ihm zu erklären, aber er wollte mich nicht verstehen.

Nachdem diese Beziehung zuende war, dachte ich, daß ich mich nicht mehr verlieben würde – aber es kam anders. Es gibt offenbar auch Männer, die eine Frau, die für ihre Überzeugungen kämpft, respektieren und schätzen. Es gibt also immer die Möglichkeit, neu anzufangen. Jetzt teile ich mein Leben mit einem Kollegen, der – wie ich – viel zu leiden hatte und in Südperu Bergarbeiter und Gewerkschaftsführer war. Ich habe ihn gern und fühle mich wohl mit ihm, denn er ist kein Macho. Wir teilen uns die Hausarbeit, was ich hervorragend finde. Manchmal haben wir sogar Streit, weil er alles alleine erledigen will. Schon als Kind hatte seine Großmutter ihm beigebracht, im Haushalt zu helfen. Wir respektieren uns gegenseitig, und ich habe das Gefühl, eine Phase größerer Sicherheit und Ruhe zu durchleben, obwohl es in meinem Land drunter und drüber geht. Ich hätte nicht gedacht, daß unser Leben so verlaufen würde. Wir lernten uns kennen, als er Vertreter der Bergbaugewerkschaft und ich Vertreterin der Pharmagewerkschaft war. Wir standen viele Auseinandersetzungen und gemeinsame Kämpfe freundschaftlich und solidarisch durch. Jetzt sind wir ein Paar und beide arbeitslos, wie Zehntausende anderer Peruanerinnen und Peruaner auch. Wir mußten uns selbständig machen und haben einen Kleinbus gekauft, wie so viele heutzutage.

Für mich ist das auch eine Herausforderung: Gelingt es der neuen Linken, diese neuentstehenden Sektoren zu organisieren? Viele derjenigen, die früher in den Fabriken gearbeitet haben und gewerkschaftlich aktiv waren, sind heute gezwungen, Kleinstbetriebe zu gründen, um sich über Wasser zu halten. Welche Vorschläge gibt es, auf diese neue Situation einzugehen? Die peruanische Realität hat sich in vieler Hinsicht gewandelt. Wenn wir unser Land ändern wollen, müssen wir genau hinsehen und dürfen dabei die große Armut nicht vergessen.

Ich bin zufrieden mit meinem Leben und mit dem, was ich erreicht habe. Ich bereue nichts. Meine Töchter und meine Kämpfe sind Bestandteil meiner Biographie. Was mich sehr stark beeinflußt hat, war mein Wunsch zu lernen, aber auch die Erkenntnis, daß ich mich immer durchsetzen mußte, weil mir sonst alle Türen verschlossen geblieben wären. Ich mußte mich selbst um alles kümmern. Ich glaube, diese Erfahrungen haben mich von Tag zu Tag stärker gemacht. Ich sagte mir immer: „Wieso soll ich mich geschlagen geben? Wenn die das schafft, weil sie weiß ist, dann schaffst du, Delia, das als Schwarze auch!“ Zu wissen, daß einem nichts geschenkt wird, ist eine ständige Herausforderung. Mein Leben war allerdings nicht leicht. Als meine Tante mich zu sich nahm, dachte ich, daß sie das aus Zuneigung tat. Es war schmerzhaft, anschließend mißhandelt zu werden, aber schweigen zu müssen und die Tränen herunterzuschlucken, um in die Schule gehen zu können.

Als meine Familie mich gezwungen hatte, meinen ersten Mann zu heiraten – mein Onkel fand uns, schlug mich und verheiratete mich mit jemandem, den ich gerade erst kennengelernt hatte –, war es auch nicht gerade leicht, den Gehorsam aufzukündigen und zu sagen: „Ich trenne mich von meinem Mann." Ich war damals erst 19 Jahre alt. Viele peruanische Frauen ertragen eine gescheiterte Ehe ein Leben lang, aber ich zog ziemlich bald einen Schlußstrich. Auch meine Entscheidung, keine weiteren Kinder zu haben, war sehr wichtig. Das Leben bringt immer neue Erfahrungen mit sich, für mich war es wie ein Lehrbuch. Ich habe nach und nach so manches begriffen. Wenn du vor einer verschlossenen Tür stehst, kannst du nicht mit dem Kopf durch die Wand rennen, sondern mußt die Tür öffnen.

Ich habe es verstanden, Frau zu sein. Meine Familie habe ich ohne männliche Hilfe unterhalten, obwohl ich nicht auf Liebesbeziehungen verzichtete. Ich habe immer jemanden gefunden, der sich um meine Töchter kümmern konnte. Manchmal bat ich meine Mutter, auf sie aufzupassen und bei mir zuhause nach dem Rechten zu sehen. Aber ich habe niemals meine Verantwortung als Mutter auf sie abgewälzt. Sie hat mich unterstützt, und dafür bin ich ihr sehr dankbar. Ich hänge sehr an ihr.

Wie meine Geschwister hätte ich in die USA auswandern oder in einem anderen Land bleiben können, in das ich gereist war. Aber das wollte ich nie. Zusammen mit meinen Töchtern wohnte ich in einem winzigen Zimmerchen in Rímac, wo ich eigenhändig einen Zwischenboden einzog, damit wir mehr Platz hatten. Anders als viele Männer, die ihren mageren Verdienst in Alkohol umsetzen, hatte ich keine Laster. Inzwischen habe ich für meine Töchter ein Haus bauen können, in dem jede ein eigenes Zimmer hat. Vorne habe ich eine Art Laden angebaut, damit sie dort ihr Geld verdienen können. Ich habe jeden Schritt gut überlegt, denn ich mußte immer damit rechnen, eines Tages meine Arbeit zu verlieren – ich kämpfte schließlich gegen den Kapitalismus und die Unternehmer. Also habe ich mich vorbereitet, um einen Rückhalt zu haben, falls ich entlassen würde. Jetzt, wo ich nicht mehr bei Schering arbeite, habe ich also gewisse Alternativen, und das gibt mir Sicherheit.

Es war immer mein Traum, ein kleines Grillrestaurant aufzumachen, da ich gerne koche und mit anderen Leuten plaudere. Mein Anbau eignet sich gut dafür, und ich habe bereits Tische, Stühle und einen Grill besorgt. Ich könnte also loslegen. Aber andererseits würde ich mich sozusagen lebendig begraben, wenn ich dort immer nur in der Küche stehen würde. So eingesperrt zu leben, würde mir dann doch nicht gefallen. Mit 49 Jahren eine Arbeit zu finden, ist schwierig. Aber ich habe in meinem Leben ja schon so manche Schwierigkeit überwunden. Mit meiner Mutter haben wir in einem Häuschen aus Strohmatten gelebt und hatten gar nichts. Ich mußte mich mal hier, mal dort verdingen und wurde mißhandelt. Mir wurden die Hände mit einem Bügeleisen verbrannt, weil ich eingeschlafen war. Unter meiner Kindheit habe ich sehr gelitten, aber meinen Töchtern habe ich eine bessere Kindheit geben können.

# Zukunft – ein uneingelöstes Versprechen

Als Gewerkschafterin habe ich getan, was ich konnte. Ich habe mein ganzes Leben lang gekämpft, von meinem 23. Lebensjahr bis heute. Jetzt bin ich 49 Jahre alt und arbeitslos. Eines Tages hatte Schering uns Arbeiterinnen und Arbeitern hohe Abfindungssummen für den Fall angeboten, daß wir innerhalb einer Woche freiwillig unseren Arbeitsplatz aufgäben. Die Abfindungen waren nach der Dauer der Betriebszugehörigkeit gestaffelt. Bis zum letzten Tag flehte ich meine Kolleginnen und Kollegen an, nicht von sich aus zu kündigen. Ich sagte ihnen: „Seit mehr als 27 Jahren arbeite ich jetzt bei Schering. Ich bin viel länger dabei als ihr, und trotzdem kämpfe ich noch! Gebt nicht auf!“ Aber sie nahmen die Abfindung und gaben ihre Arbeitsplätze auf, obwohl manche nur sehr wenig Geld bekamen, weil sie erst seit fünf Jahren bei Schering arbeiteten. Trotzdem unterschrieben sie ihre eigene Kündigung. Nur zehn Kolleginnen und Kollegen – darunter auch ich – blieben am Ende noch übrig, festentschlossen, alles zu verlieren.

Eine Etappe ging zuende. Mein Leben hatte ich dem gewerkschaftlichen Kampf gewidmet, und ich hatte ein besseres Leben für alle durchsetzen wollen. Aber die Situation, in der ich jetzt steckte, hatte eine neue Qualität. Ich sagte mir: „Delia, jetzt ist Schluß! Du kannst eine Kämpferin sein, aber keine Märtyrerin. Es wäre idiotisch, jetzt alleine übrig zu bleiben und dann ohne jede Abfindung rausgeworfen zu werden.“ Mit 49 Jahren wurde ich arbeitslos, genau wie Zehntausende anderer Peruanerinnen und Peruaner auch.

Am Ende gab es eine Versammlung mit über hundert Kolleginnen und Kollegen, und ich werde nie vergessen, daß der Geschäftsführer sagte: „Ich weiß, daß Delia heute die größte Verliererin ist.“ Er gab mir die Hand und sagte, daß ich ihm eine gute, energische Gegenspielerin gewesen sei und ihn oft zur Verzweiflung gebracht habe. Aber das Kapital sei stärker, vor allem wenn es von Gesetzen begleitet werde, wie sie neuerdings in Peru erlassen würden. Vielleicht hat er übertrieben, aber ich hatte wirklich gekämpft, so gut ich konnte. Das gibt mir jetzt ein relativ gutes Gefühl, und wir sind nicht in allem gescheitert. Es gibt einige externe Gründe, so daß ich mir nichts vorzuwerfen habe. Unser Gewerkschaftsdachverband, die CGTP, und die linken Parteien haben eine Erneuerung ihrer Bürokratien versäumt und keine klaren, realistischen Vorschläge zustandegebracht. Die Rechte reorganisiert sich weltweit, aber die Linke bleibt zersplittert.

Die politischen Ereignisse hatten uns völlig unvorbereitet erwischt. Die neoliberale Wirtschaftspolitik der Fujimori-Regierung[73] führte zur Schließung von mehr als zwanzig pharmazeutischen Werken. Die Unternehmen begründeten die Werksaufgabe damit, daß es sich jetzt nicht mehr lohne, speziell für den peruanischen Markt zu produzieren. Es sei inzwischen billiger, die fertigen Medikamente direkt aus Argentinien oder anderen lateinamerikanischen Ländern zu beziehen.

Ich durchlebe jetzt eine schwierige Zeit. Was im Schering-Werk passiert ist, tut mir sehr weh – nicht so sehr, weil ich meinen Arbeitsplatz verloren habe, sondern weil ich jetzt nicht mehr mit all meiner Kraft für eine bessere Gesellschaft kämpfen kann. Ich habe ja nicht für ein paar Mark mehr gearbeitet, sondern mich für mehr Gerechtigkeit eingesetzt. Dieser Verlust schmerzt sehr und ist schwerwiegender als der Einkommensverlust. Darunter leide ich jetzt.

Aber das Leben bringt immer neue Erfahrungen mit sich. Ich sagte mir: „Ich werde wohl keine gute Straßenhändlerin abgeben. Also kaufe ich mir einen Kleinbus und mache den Führerschein. Ich werde meine Lizenz beantragen und der FECHOP[74], dem Verband der peruanischen Bus- und Taxifahrer, beitreten. Ich werde mir einen neuen politischen Ort suchen." Das habe ich fest vor. Meinen Kolleginnen und Kollegen hatte ich angekündigt: „Ein Lebensabschnitt geht zuende. Aber bald werdet ihr mich in der FECHOP wiederfinden. Ich werde schon irgendwo wieder als Aktivistin auftauchen." Wer eine Schlacht verliert, hat noch lange nicht den ganzen Krieg verloren. Uns erwartet eine sehr schwierige Zeit, aber ich werde weiterkämpfen. Ich habe die Hoffnung, mich mit meinen alten Mitstreiterinnen und Mitstreitern aus der Gewerkschaft und der Partei zu treffen. Wir müssen darüber nachdenken, was falsch gelaufen ist, und uns wieder auf den Weg machen. Außerdem möchte ich mich mit einigen Frauen zusammen neu organisieren.

Natürlich wäre es jetzt erfreulicher, schon eine neue Zukunft für unser Land vor Augen zu haben. Unsere Kinder sollten sich als Menschen verwirklichen können, indem sie ohne Diskriminierung studieren können und es allen offensteht, das zu werden, was sie möchten. Die Menschen sollten Arbeit haben und in Würde leben können. Wir Frauen sollten die gleichen Rechte wie die Männer bekommen. Für mich ist und bleibt das eine Herausforderung. Andere haben uns durch ihren Kampf die Gewerkschaften hinterlassen. Sie gaben ihr Leben dafür, daß sie gegründet wurden. Die Verantwortung, die auf unserer Generation lastet, ist ebenfalls sehr groß. Wir müssen uns auch weiterhin für eine Zukunft einsetzen, in der es keinen Rassismus gibt, in der Cholos und Schwarze sich nicht mehr mit Haß begegnen; eine Zukunft, in der es Arbeit für alle und keine Ausbeutung gibt. Für eine solche Zukunft müssen wir und die kommenden Generationen auch weiterhin kämpfen.

# Delia Zamudio – Biographische Daten

**1943**
– Geburt auf dem Landgut „Hoja Redonda“ in Chincha, Peru

**1955**
– Arbeit als Hausangestellte bei ihrer Tante
– Besuch der ersten drei Grundschuljahre

**1957**
– Flucht vor den Mißhandlungen ihrer Tante und Rückkehr nach Hause

**1958**
– Arbeitsbeginn in einer Konservenfabrik
– Grundschulabschluß in einem Abendkursus des Colegio México im Stadtteil Rímac

**1961**
– Arbeitsbeginn in einer Gold- und Silberschmiede

**1962**
– Heirat

**1963**
– Geburt der ersten Tochter

**1966**
– Arbeitsbeginn bei „Schering Farmacéutica Peruana S.A.“

**1968**
– Krankenpflegeausbildung beim Gesundheitsministerium
– Besuch der „Gran Unidad Escolar María Parado de Bellido“ im Stadtteil Rímac

**1969**
– Beauftragte für Soziale Angelegenheiten im Vorstand der Schering-Betriebsgewerkschaft

**1970**
– Delegierte beim „Verband der Pharmagewerkschaften“

**1972**
– Geburt der zweiten Tochter
– Vorsitzende der Schering-Betriebsgewerkschaft
**1975**
– Delegierte der Industriegemeinschaft beim Kongreß der Industriegemeinschaften in der Militärschule „Leoncio Prado“
– Haftbefehl wegen ihrer Kritik an der Militärregierung von General Morales Bermúdez
– Delegierte beim Gewerkschaftsdachverband CGTP

**1976**
– Vorsitzende der Schering-Betriebsgewerkschaft

**1977**
– Mehrmonatige Arbeitslosigkeit wegen ihrer Teilnahme an einem landesweiten Generalstreik[75]

**1980**
– Delegierte des „Verbandes der Arbeiter in Laboratorien, Drogerien und verwandten Bereichen“ (FETLDA) beim Kongreß des Gewerkschaftsdachverbands CGTP

**1981**
– Teilnahme am „Kongreß der mexikanischen Arbeiter“, der von der Revolutionären Arbeiterpartei Mexikos organisiert wird
– Vorsitzende der Schering-Betriebsgewerkschaft

**1983**
– Einrichtung des Vorstandspostens einer Frauenbeauftragten in der Schering-Betriebsgewerkschaft
– Schaffung der „Organisationskommission der peruanischen Frau“ (COMUP)

**1985**
– Teilnahme am 3. Feministischen Treffen Lateinamerikas und der Karibik, das in Brasilien stattfindet

**1986**
– Wiederwahl zur Generalsekretärin ihrer Betriebsgewerkschaft
– Frauenbeauftragte und Organisationsbeauftragte der FETLDA
– Teilnahme am „Treffen der Frauen aus den Slums“, das in Brasilien stattfindet

**1987**

- Teilnahme am 4. Feministischen Treffen Lateinamerikas und der Karibik, das in Mexiko stattfindet

**1990**

- Teilnahme am 5. Feministischen Treffen Lateinamerikas und der Karibik, das in Argentinien stattfindet

**1991**

- Delegierte bei der FETLDA, wo sie das Amt der Frauenbeauftragten übernimmt

**1992**

- Erzwungene Aufgabe ihres Arbeitsplatzes bei „Schering Farmacéutica Peruana S. A." nach 27 Jahren Betriebszugehörigkeit

**1993**

- Überleben als Kleinstunternehmerin
- Teilnahme an der „Schulung für Führerinnen der Stadtteilbewegungen", die von der Nichtregierungsorganisation FOVIDA[76] organisiert wird

**1994**

- Teilnahme am „1. Seminar für Frauen mit Führungsaufgaben", das von der Koordination der Frauenbeauftragten (SAF)[77] organisiert wird
- Mitorganisatorin des „1. Workshops für Gewerkschaftsfunktionärinnen", zu dem die Gewerkschaftsdachverbände CGTP und CTP sowie die Vereinigung der peruanischen Straßenhändler (CAPT)[78] aufrufen

**1995**

- Mitarbeit in verschiedenen Frauenorganisationen

# Anmerkungen

*Diverse Personennamen wurden auf Delia Zamudios Wunsch hin geändert.*

1 „Rundes Blatt“

2 Provinz südlich der peruanischen Hauptstadt Lima, die für ihre überwiegend schwarze Bevölkerung bekannt ist.

3 Stadtteil von Lima

4 Wohnviertel im Stadtteil La Victoria

5 „Das Gedicht“

6 Cimarrón: entlaufener Sklave

7 „Weißes Haus“

8 Spatz, Sperling

9 Hafen von Lima

10 General Odría kam durch einen Militärputsch an die Regierung. Während seiner Amtszeit (1948-1956) waren Gewerkschaften, linke Parteien und Basisorganisationen der Verfolgung ausgesetzt.

11 Stadtteil von Lima

12 peruanisches Ballspiel

13 Für ihre Armut bekannte Provinz in den südlichen Anden

14 Stadtteil von Lima

15 „Die Geschäftswelt“, älteste Tageszeitung Perus mit konservativer Grundhaltung

16 Stadtteil von Lima

17 Wohnviertel im Stadtteil San Juan de Miraflores

18 „Guter Tod“

19 Gericht aus Mais, Fleisch und anderen Zutaten, das in Bananenblätter eingewickelt verkauft wird.

20 Küstenstadt in Nordperu

21 „Der Haltepunkt“, Großmarkt im Stadtteil La Victoria

22 Der Peruaner Leoncio Prado (1853-1883) kämpfte im kubanischen Unabhängigkeitskampf und im peruanisch-chilenischen Krieg. Heute ist ein Wohnviertel im Stadtteil Rímac nach ihm benannt.

23 „Alianza Popular Revolucionaria Americana“ (Revolutionäre Volksallianz Amerikas), älteste politische Partei Perus; vgl. Nachwort.

24 420 km nördlich von Lima gelegene Hafenstadt, Zentrum der fischverarbeitenden Industrie

25 Sol: peruanische Währungseinheit

26 Stadtteil von Lima

27 Magdalena del Mar: Stadtteil von Lima

28 Seit 1962 unterhält der deutsche Pharmamulti Schering eine Produktionsstätte in Lima, die Schering Farmacéutica Peruana S.A..

29 Stadtteil von Lima

30 Fernando Belaunde Terry, der Gründer der Partei „Acción Popular“, wurde 1963 zum ersten Mal zum peruanischen Präsidenten gewählt. Nach dem Scheitern seiner Reformprojekte wurde seine Amtszeit 1968 durch einen Militärputsch General Velascos beendet (siehe Anmerkung 43).

31 María Parado de Bellido (1777-1824) wurde von der spanischen Kolonialmacht hingerichtet, weil sie die republikanischen Befreiungstruppen unterstützt hatte.

32 Mercedes Cabello (1849-1909) war eine Dichterin und Schriftstellerin des peruanischen Realismus.

33 40 km östlich von Lima gelegene Kleinstadt

34 In Peru bilden die Beschäftigten eines Betriebs eine eigene Gewerkschaft, die sich mit anderen Betriebsgewerkschaften derselben Branche zu einem Verband zusammenschließt (z. B. FETLDA als Verband der Pharmabeschäftigten).

35 Stadtteil von Lima

36 „Confederación de Trabajadores del Perú“ (Peruanischer Arbeiterdachverband), der APRA-Partei nahestehender Gewerkschaftsdachverband; vgl. Nachwort.

37 „Central General de Trabajadores del Perú“ (Allgemeiner Dachverband der peruanischen Arbeiter), linker Gewerkschaftsdachverband; vgl. Nachwort.

38 „Federación de Trabajadores de Laboratorios, Droguerías y Afines“ (Verband der Beschäftigten der Laboratorien, Drogerien und verwandter Bereiche)

39 „Partido Comunista Peruano“ (Peruanische Kommunistische Partei), vertritt eine orthodox kommunistische Position; vgl. Nachwort. Nicht zu verwechseln mit der PCP-SL – hierbei handelt es sich um die Selbstbezeichnung der maoistischen Guerilla „Leuchtender Pfad“.

40 Hugo Blanco war in den sechziger Jahren ein prominenter Anführer der peruanischen Bäuerinnen- und Bauernbewegung. Nachdem er Ende der siebziger Jahre aus dem schwedischen Exil zurückgekehrt war, spielte er einige Jahre lang eine wichtige Rolle im linken Parteienspektrum Perus.

41 Die Industriegemeinschaft („Comunidad Industrial“) war von der Velasco-Regierung (siehe Anmerkung 43) geschaffen worden, um die Mitbestimmung der Belegschaft sowie ihre Beteiligung am Unternehmenskapital und den Gewinnen zu ermöglichen.

42 General Morales Bermúdez setzte den schwer erkrankten Velasco (siehe Anmerkung 43) 1975 ab. Bis 1980 gelang es ihm, viele der Reformen seines Vorgängers abzuschwächen oder rückgängig zu machen. Als die Bevölkerung auf die sozialen Härten seiner Austeritätspolitik mit Unruhen und Streiks reagierte, griff das Regime zu härtester Repression.

43 Die reformistische Militärregierung unter General Juan Velasco Alvarado (1968-75) versuchte, Peru durch eine Agrar- und Industriereform sowie durch die Verstaatlichung ausländischer Unternehmen grundlegend zu verändern.

44 Der Begriff „Cholos“ hat diverse Bedeutungen. Hier bezeichnet er die indianisch-mestizische Bevölkerungsmehrheit in Peru.

45 Der Dachverband der Kritischen Aktionärinnen und Aktionäre mit Sitz in Köln hinterfragt die Unternehmenspolitik und internationale Geschäftstätigkeit deutscher Konzerne, insbesondere im Hinblick auf Menschenrechte, Umweltschutz und Sicherung von Arbeitsplätzen.

46 Übersteigertes Männlichkeitsgefühl, Betonung männlicher Überlegenheit

47 Stadt im zentralen Andenhochland, 335 km östlich von Lima

48 „Comisión Organizadora de la Mujer Peruana" (Organisationskommission der peruanischen Frau)

49 Abtreibung war und ist in Peru illegal.

50 Flora Tristán (1803-1844), linke Journalistin, Tochter einer Französin und eines Peruaners, bereiste 1833-1834 Peru und hielt ihre Eindrücke in Buchform fest; vgl. Nachwort.

51 Aurora Vivar war in den siebziger Jahren Gewerkschaftsvorsitzende der peruanischen Warenhauskette „Monterrey". Nachdem sie einen Streik organisiert hatte, der die Monterrey-Geschäfte lahmlegte, wurde sie von Unbekannten ermordet.

52 Im Juni 1986 kamen bei der Niederschlagung einer Revolte in den Gefängnissen „San Juan de Lurigancho" und „El Frontón" 249 Gefangene ums Leben, von denen 124 erschossen wurden, als sie sich bereits ergeben hatten. Von August bis November 1987 befaßte sich eine parlamentarische Untersuchungskommission mit diesem Vorfall.

53 In den achtziger Jahren wurden in den Andenprovinzen Ayacucho, Apurímac und Huancavelica mehrere tausend Menschen von Polizei und Militär verschleppt, die sie der Zusammenarbeit mit dem „Leuchtenden Pfad" verdächtigten. Immer wieder wurden Massengräber entdeckt, in denen die verstümmelten Leichen der Entführten auftauchten.

54 Mit Alan García wurde 1985 erstmals ein APRA-Politiker zum peruanischen Präsidenten gewählt. Nach anfänglichen Erfolgen endete seine Amtszeit 1990 inmitten einer schweren Wirtschaftskrise.

55 Stadtteil von Lima

56 „Arbeiterkrankenhaus"

57 Stadtteil von Lima

58 Wohnviertel im Stadtteil La Victoria

59 Stadt in den nördlichen Anden

60 „Universidad Nacional de Ingeniería" (Nationale Universität für Ingenieurwissenschaft)

61 Transkontinentale Schnellstraße von Alaska bis Feuerland, die auch an der peruanischen Pazifikküste entlangführt.

62 „Partido Socialista de Trabajadores" (Sozialistische Arbeiterpartei), trotzkistische Ausrichtung; vgl. Nachwort.

63 Stadtteil von Lima

64 José Carlos Mariátegui (1894-1930) war der wichtigste sozialistische Theoretiker Perus; vgl. Nachwort.

65 „Frente Obrero, Campesino, Estudiantil del Perú" (Arbeiter-, Bauern- und Studentenfront Perus); vgl. Nachwort.

66 „Partido Revolucionario de Trabajadores" (Revolutionäre Arbeiterpartei), trotzkistische Ausrichtung; vgl. Nachwort.

67 „Alianza Revolucionaria de Izquierda" (Revolutionäre Linksallianz); vgl. Nachwort.

68 „Izquierda Unida" (Vereinigte Linke)

69 Clara Zetkin (1857-1933) war Mitbegründerin der Kommunistischen Partei Deutschlands (KPD) und führend in der sozialistischen Frauenbewegung.

70 „Partido Unificado Mariateguista" (Vereinigte Mariateguistische Partei); vgl. Nachwort.

71 Leuchtender Pfad: Die maoistische Organisation „Sendero Luminoso", eigentlich Kommunistische Partei Perus (PCP-SL), führt seit 1980 einen bewaffneten Kampf gegen die peruanische Regierung. Attentate auf Persönlichkeiten aus anderen linken Gruppierungen sind ebenfalls keine Seltenheit. Vgl. auch Nachwort.

72 Wohnviertel im Stadtteil San Martín de Porres

73 Alberto Fujimori wurde 1990 als Vertreter einer unabhängigen Liste („Cambio 90") zum peruanischen Präsidenten gewählt und 1995 im

Amt bestätigt. Mit seiner neoliberalen Politik bewirkt er einen radikalen Umbau von Wirtschaft und Gesellschaft in Peru, der mit extremen sozialen Härten verbunden ist.

74 „Federación de Choferes del Perú" (Verband der peruanischen Bus- und Taxifahrer)

75 Nach dem landesweiten Generalstreik vom 19. Juli 1977 ermächtigte das Morales Bermúdez-Regime die Arbeitgeber, den „Verantwortlichen" zu kündigen. In diesem Zusammenhang wurde Delia Zamudio von Schering entlassen; es gelang ihr jedoch, nach einigen Monaten gerichtlich die Wiedereinstellung zu erreichen.

76 „Fomento de la Vida" (Unterstützung des Lebens), peruanische Nichtregierungsorganisation

77 „Secretarías de Asuntos Femeninos" (Frauenbeauftragte)

78 „Confederación de Ambulantes del Perú" (Vereinigung peruanischer Straßenhändler)

# Nachwort von *Reinhart Hoß*

# Politik und Gesellschaft in Peru

## Afroperuanerin

*»In der Schule war ich die einzige Schwarze. (...) Die Lehrerin war der Meinung, ich sei ein sehr unruhiges Kind. Ich glaube das nicht, vielmehr war meine Umgebung rassistisch.«*

Delia Zamudios frühe Erfahrung ist geprägt durch die Konfrontationen, denen sie als schwarzes Kind durch die Vorurteile und Verurteilungen ihrer Familienangehörigen, Mitschülerinnen und Lehrerinnen in der kreolischen bzw. mestizischen Umwelt Limas ausgesetzt ist. Diese Erlebnisse stellen die Frage nach den Beziehungen zwischen den verschiedenen Ethnien in einem Land, in dem neben der indigenen Bevölkerung und den Nachkommen der europäischen Eroberer bedeutende afrikanische und asiatische Gemeinschaften existieren. Derzeit werden etwa 1,4 bis zwei Millionen schwarze Einwohnerinnen und Einwohner in Peru angegeben – etwa sechs bis zehn Prozent der Bevölkerung – wobei die Mehrzahl in einigen Ortschaften der Küstenregion lebt.[1]

Die Autorin selbst bezieht sich auf die Tradition der *cimarrones*, entflohener schwarzer Sklavinnen und Sklaven, die in ländlichen Gebieten der Küstenregion unabhängige Gemeinden bildeten und bis heute die Aura der Rebellion unter der afroperuanischen Bevölkerung aufrechterhalten. Die Geschichte der Schwarzen in Peru geht zurück auf deren erzwungenen Einsatz als Soldaten der spanischen Eroberungstruppen zu Beginn des 16. Jahrhunderts.[2] Im Vizekönigreich Peru wurden in größerem Umfang schwarze Sklavinnen und Sklaven herangezogen, um das Fehlen von einheimischen Arbeitskräften zu kompensieren, vor allem im häuslichen Bereich der Kolonialwirtschaft sowie in der exportorientierten Landwirtschaft der Küstenregion. Gegen Ende des 18. Jahrhunderts war

1 José Carlos Luciano: Lo Negro en el Perú, in: Ideele 81. Lima, Nov. 1995. o. S.
2 A.a.O.

etwa ein Viertel der Einwohnerinnen und Einwohner Limas schwarzer Hautfarbe.[3] Während die indigene Bevölkerung von der christlichen Kirche immerhin als bekehrenswerte menschliche Wesen angesehen wurden[4], standen die Schwarzen als sogenannte „naturgegebene Sklaven" in der kolonialen Hierarchie ganz unten. Unter den damaligen Bedingungen völliger Rechtlosigkeit gegenüber ihren weißen Herren, keinerlei Aussicht auf gesamtgesellschaftliche Veränderungen und nur geringer Unterstützung durch die einheimische Bevölkerung versuchten Schwarze, sich der Sklaverei durch Flucht zu entziehen. Sie schlossen sich mit anderen (selbst-) befreiten Sklavinnen und Sklaven in Gemeinschaften jenseits der Grenzen feudaler Ordnung zusammen und konnten ihre erkämpfte Freiheit durch bewaffnete Verteidigung sichern.[5]

Die Unabhängigkeit Perus von der spanischen Herrschaft, die bis 1824 auch unter der Beteiligung schwarzer Regimenter auf Seiten der republikanischen Truppen errungen werden konnte, führte jedoch nicht zur Einführung von Freiheit und Gleichheit für die verschiedenen Ethnien der peruanischen Bevölkerung. Erst 1854 wurde die Sklaverei in Peru verboten, ohne allerdings die Beziehungen zwischen „Herr und Knecht" grundsätzlich zu verändern: „Freie" Schwarze waren in der überwiegenden Mehrheit gezwungen, ihren alten Besitzern ihre Arbeitskraft als abhängige Lohnarbeiterinnen und -arbeiter zu verkaufen. Der Bereich der Haussklaverei wurde de facto noch weniger beeinflußt.

Diese Situation mag dazu beigetragen haben, daß sich in der nichtschwarzen Bevölkerung Perus die rassistischen Stereotype, denen sich Afroperuanerinnen und -peruaner bis heute ausgesetzt sehen, konserviert haben.[6] Gleichzeitig sind die sozialen Verhältnisse von einem geringen Grad der Selbstschätzung der betroffenen schwarzen und indigenen Bevölkerung sowie einer starken Ausrichtung am weißen Schönheitsideal geprägt. Das schließt vielfältige Formen von offenem oder verstecktem Rassismus zwischen verschiedenen, unterdrückten Ethnien ein. Beispiele dafür finden sich in der Autobiographie von Delia Zamudio in allen Bereichen.

3 Carlos Aguirre: Cimarronaje, Bandolerismo y Desintegración Esclavista. Lima, 1821-1854, in: Carlos Aguirre, Charles Walker (Hg.): Bandoleros, Abigeos y Montoneros. Criminalidad y Violencia en el Perú, siglos XVIII-XX. Lima: Instituto de Apoyo Agrario, 1990. S. 178.

4 Tzvetan Todorov: Die Eroberung Amerikas. Das Problem des Anderen. Frankfurt: Suhrkamp, 1985. S. 204.

5 Aguirre, a.a.O. S. 175f.

6 Luciano, a.a.O.

Im Zuge der beginnenden Industrialisierung von Manufaktur und Bergbau begann auch die schwarze Bevölkerung, aus den ländlichen Gebieten in städtische Ballungszentren zu migrieren. Während viele schwarze Gemeinschaften an der Südküste Perus – unter anderem in der Region Chincha, dem Geburtsort von Delia – ihre relative ethnische Homogenität bewahrten, fanden sich schwarze Arbeiterinnen und Arbeiter in zunehmendem Maße im Industrieproletariat wieder. José Carlos Mariátegui, Autor der berühmten „Sieben Essays zur Interpretation der peruanischen Wirklichkeit“[7], postulierte 1929 in einem Konferenzbeitrag[8]: „Indem zwischen den Proletariern die Rassenschranke schwindet, erhebt das Klassenbewußtsein den Schwarzen historisch und moralisch. Die Gewerkschaft bedeutet den endgültigen Bruch mit den unterwürfigen Gewohnheiten.“ Im Hinblick auf die kommunistische Parteipolitik fordert er, „den sozio-ökonomischen Charakter der Kämpfe der ausgebeuteten indianischen und schwarzen Massen hervorzuheben und so diesen Massen ein deutliches Klassenbewußtsein (zu) vermitteln“.[9] In der kontroversen Debatte ging es um die Frage nach „nationaler Unabhängigkeit“ unterdrückter Ethnien, die nach Auffassung peruanischer Delegierter schließlich zur Förderung eines „schwarzen Zionismus“ führen könnten.[10] Das Fortbestehen gesellschaftlicher Widersprüche innerhalb der revolutionären Klasse, wie z. B. die Konflikte zwischen verschiedenen Ethnien und das Verhältnis zwischen Frau und Mann, wurde weitgehend negiert.

Die Wiederentdeckung eines schwarzen Bewußtseins wurde erst in den darauffolgenden Jahrzehnten durch kulturelle Aktivitäten wesentlich befördert, wobei die afroperuanische Musik und die Schaffung eines eigenen literarischen Genres eine besondere Rolle spielte. Mehrere nichtstaatliche Organisationen begannen die Interessen der schwarzen Bevölkerung Perus zu vertreten, wobei das Problem rassistischer Diskriminierung auf der Ebene der parteipolitischen und sozialen Bewegungen bis heute weitgehend unbeachtet bleibt.[11]

7 José Carlos Mariátegui: Siete Ensayos de Interpretación de la Realidad Peruana. Lima, 1928. Dt. Ausgabe: Kuno Füssel (Hg.): Sieben Versuche, die peruanische Wirklichkeit zu verstehen, Berlin: Argument-Verlag; Freiburg: Edition Exodus, 1986.

8 Eleonore von Oertzen (Hg.): José Carlos Mariátegui: Revolution und peruanische Wirklichkeit. Frankfurt/M.: ISP, 1986. S. 117.

9 A.a.O. S. 149.

10 Eleonore von Oertzen: Vorwort, in: A.a.O. S. 42ff.

11 Luciano, a.a.O.

## Gewerkschafterin und Sozialistin

*»Señor, diese Leute kämpfen darum, das Leben der Arbeiterinnen und Arbeiter ein bißchen zu verbessern. Deswegen bin ich in die Gewerkschaft eingetreten und habe Ihnen die Anführer nicht genannt.«*

Im Alter von 23 Jahren und nach bereits über zehnjähriger Erwerbstätigkeit als Hausmädchen, in einer Fischkonservenfabrik und einer Goldschmiedewerkstatt sucht Delia Zamudio den Kontakt mit der Gewerkschaftsbewegung. Bis dahin war sie gezwungen, in ungeregelten und teilweise unbezahlten Beschäftigungsverhältnissen ohne soziale Absicherung zu arbeiten. Das o. g. Zitat markiert den Versuch, diese Art der Abhängigkeit durch den Beitritt in die neugegründete Schering-Betriebsgewerkschaft zu überwinden.

Zu dieser Zeit – Ende der sechziger Jahre – hatte die soziale Bewegung in Peru nach einer langen Phase der Verbote und Verfolgung einerseits und internen Auseinandersetzungen um die Frage von Reform oder Revolution andererseits erste Schritte zu einem organisatorischen Neubeginn unternommen.

Die zunehmende Nachfrage Europas nach landwirtschaftlichen Produkten und Rohstoffen aus Peru förderte die Entwicklung von Zentren industrieller Produktion in Küstennähe und schuf damit die Voraussetzungen zur Bildung eines städtischen Proletariats, das schließlich *gewerkschaftliche Organisationen* auf betrieblicher Ebene zur Artikulierung und Durchsetzung seiner Forderungen bildete. Nach mehreren Streiks um Lohnerhöhung und Arbeitszeitverkürzung konnte schließlich im Jahre 1919 der Achtstundentag für Industriearbeiterinnen und -arbeiter durchgesetzt werden.[12] Die weitere Entwicklung der Gewerkschaftsbewegung wurde stark von der politischen Polarisierung bestimmt, die gegen Ende der zwanziger Jahre zur Gründung der *Alianza Popular Revolucionaria Americana (APRA)*[13] einerseits und der *Partido Socialista Peruano (PSP)*[14] andererseits führte. Die APRA propagierte unter der Führung

12 Siegfried Horsters: Die Entstehung der peruanischen Gewerkschaftsbewegung und ihre Entwicklung bis 1968, in: Peru-Gruppe Hamburg, Informationsstelle Lateinamerika (Hg.): Die peruanische Gewerkschaftsbewegung von den Anfängen bis 1979. Bonn, 1980. S. 10.

13 Revolutionäre Amerikanische Volksallianz, 1924 in Mexiko als antiimperialistisches Bündnis fortschrittlicher Kräfte in Lateinamerika gegründet, 1928 in Peru in die *Partido Aprista Peruano (PAP,* Apristische Partei Perus) umgewandelt.

14 Sozialistische Partei Perus, im Oktober 1928 als Reaktion auf das Entstehen der APRA gegründet.

von Víctor Raúl Haya de la Torre die nationale Befreiung vom Imperialismus unter Einbeziehung der einheimischen Bourgeoisie, während die PSP sich als eine revolutionäre Klassenpartei verstand. Damit standen sich in Peru die sozialreformistische APRA und die sozialistische PSP gegenüber. Letztere wurde nach dem Tode ihres Mitgründers José Carlos Mariátegui im Jahre 1930 in *Partido Comunista Peruano (PCP)*[15] umbenannt und folgte fortan den Vorgaben der Moskauer Komintern.[16]

Die Gründung des peruanischen Gewerkschaftsdachverbandes *Central General de Trabajadores del Perú (CGTP)*[17] erfolgte 1929 unter maßgeblicher Beteiligung der PSP.

Schon auf ihrem 1. Plenum 1930 vertrat die CGTP etwa 50.000 Arbeiterinnen und Arbeiter.[18] Die Basis großer Textilbetriebe sowie die Gewerkschaften der fischverarbeitenden Industrie im Norden des Landes standen allerdings unter apristischer Leitung, die die kommunistische Führung der CGTP bekämpfte und somit die geforderte Aktionseinheit des Proletariats verhinderte. Das dürfte das Verbot der Gewerkschaftszentrale schon zwei Jahre nach deren Gründung sowie die nachfolgende Verfolgung und Zerschlagung aller linken Organisationen durch die wechselnden Regierungen erleichtert haben. Zugleich war eine zunehmende Polarisierung durch den politischen Kampf in Europa zu beobachten: Die PCP räumte zu dieser Zeit dem Kampf gegen den „Sozialfaschismus" höchste Priorität ein. Erst ab 1935 erfolgte die Orientierung auf eine Einheitsfrontpolitik, die aber auf Seiten der APRA mit einem zunehmenden Antikommunismus beantwortet wurde.

Am 1. Mai 1944 konstituierte sich die *Confederación de Trabajadores del Perú (CTP)*[19] als gemeinsamer Gewerkschaftsdachverband. Schon ein Jahr darauf wurden aber die kommunistischen Mitglieder aus der Gewerkschaftsleitung verdrängt, und die APRA übernahm die Führung der CTP. Im beginnenden Kalten Krieg gliederte diese den Gewerkschaftsverband der amerikanischen Sektion des Internationalen Bundes Freier Gewerkschaften (IBFG) an und verfolgte einen Kurs strikter Abgrenzung gegenüber der kommunistischen Gewerkschaftsbewegung. Dieser gelang

15 Kommunistische Partei Perus, im Zuge der politischen Auseinandersetzungen später auch als *Partido Comunista – Unidad (PC-U*, Kommunistische Partei der Einheit) und *Partido Comunista del Perú (PC del P)* sowie mit dem Namen ihres langjährigen Generalsekretärs Jorge del Prado bezeichnet.

16 Eleonore von Oertzen, a.a.O. S. 49.

17 Allgemeiner Dachverband der Arbeiter Perus.

18 Horsters, a.a.O. S. 13.

19 Dachverband der Arbeiter Perus.

es erst 1968 wieder, die CGTP als Alternative zur reformistischen CTP neu zu gründen; zu diesem Zeitpunkt repräsentierte sie 19 Gewerkschaftsföderationen (s. u.) sowie 150 Einzelgewerkschaften mit insgesamt 140.000 Mitgliedern.[20] Die CGTP war Mitglied des lateinamerikanischen Arbeiterverbandes (*Confederación de Trabajadores de América Latina, CTAL)* und gehörte damit dem kommunistischen Weltgewerkschaftsverband (WGB) an.

Die Gewerkschaftsbewegung ist also in dem Moment, in dem Delia Zamudio als Führungsmitglied der Betriebsgewerkschaft der Schering Farmacéutica Peruana S. A. an den ersten Auseinandersetzungen der wiederbelebten Gewerkschaftsbewegung teilnimmt, durch die organisatorische Konkurrenz von apristischer CTP und kommunistischer CGTP gekennzeichnet. Die Schering-Betriebsgewerkschaft wird Mitglied im Verband der Pharma-Gewerkschaften (*Federación de Trabajadores de Laboratorios, Droguerías y Afines, FETLDA*).[21]

Der Aufbau der peruanischen Gewerkschaftsbewegung folgt dem Betriebs- und Sektorenprinzip, d. h. die Beschäftigten eines Betriebes bilden eine eigene Gewerkschaft, die sich mit anderen Betriebsgewerkschaften derselben Branche zu einem Verband zusammenschließt (zum Beispiel der *FETLDA* im Pharmabereich). Diese Föderation gliedert sich einer der Gewerkschaftszentralen an, von denen die *CGTP* und die *CTP* die bedeutendsten sind. Gesetzlich vorgeschrieben sind die Freistellung von Gewerkschaftsvertreterinnen und -vertretern von der Arbeit für die Wahrnehmung ihrer Tätigkeit sowie ein spezieller Kündigungsschutz. Im Zusammenhang mit den ab 1968 von der sogenannten „Revolutionären Militärregierung“ unter General Velasco Alvarado begonnenen Reformen ist hier auf folgende Veränderungen des Arbeitsrechtes hinzuweisen, die die Machtposition der in- und ausländischen Unternehmen einschränkten und zu einer Stärkung der organisierten Arbeiterinnen und Arbeiter auf der Ebene der Betriebsführung führten[22]:

– Im Jahre 1970 wurde das Kündigungsschutzgesetz (*Ley de Estabilidad Laboral)* erlassen, das die Entlassung von Beschäftigten auf Fälle schwerwiegender Verfehlung beschränkte und bei betriebsbedingten Massenent-

20 Denis Sulmont: Die Gewerkschaftsbewegung im Zusammenhang mit den Reformen: Peru 1968-1976, in: Peru-Gruppe Hamburg, Informationsstelle Lateinamerika (Hg.): Die peruanische Gewerkschaftsbewegung von den Anfängen bis 1979. Bonn, 1980. S. 30.

21 Verband der Arbeiter in Laboratorien, Drogerien und verwandten Bereichen.

22 Sulmont, a.a.O. S. 33 ff.

lassungen die vorherige Genehmigung durch das Arbeitsministerium zur Auflage machte.

– Das Gesetz zur Gründung der Industriegemeinschaften (*Comunidades Industriales*) von 1973 schuf auf betrieblicher Ebene Mitbestimmungsorgane der Belegschaften sowie deren Beteiligung am Grundkapital und den Unternehmensgewinnen.

Diese Gesetzgebung war auch für die „Schering Farmacéutica Peruana S. A.“, ein Tochterunternehmen der bundesdeutschen Schering AG, verpflichtend. In ihrem Werk in Lima produzierte sie seit 1962 Pharmaprodukte für den peruanischen Markt, um die hohen Importzölle auf verarbeitete Produkte zu umgehen.

Am 19. Juli 1977 legte ein Generalstreik, zu dem die CGTP aufgerufen hatte, das Land lahm. Daraufhin ermächtigte jedoch die 1975 an die Macht gekommene Regierung von General Morales Bermúdez die Arbeitgeber, die „Verantwortlichen“ zu entlassen[23], woraufhin auch Schering unliebsamen Gewerkschafterinnen und Gewerkschaftern – wie Delia Zamudio – die Kündigung aussprach. Die Wiedereinstellung der Entlassenen konnte noch im gleichen Jahr gerichtlich durchgesetzt werden.

Die achtziger Jahren waren geprägt von der Abkehr der wirtschaftlichen Strategie der Importsubstitution, die seit 1968 zum Aufbau einer weltmarktunabhängigen peruanischen Industrie und dem Anwachsen der Gewerkschaften in einigen Sektoren geführt hatte. V. a. die Belaunde-Regierung (1980-85) forcierte die Öffnung des peruanischen Marktes durch eine drastische Senkung der Importzölle, woraufhin viele Betriebe der einheimischen Industrie unter den Bedingungen ausländischer Konkurrenz sich zur Schließung gezwungen sahen. Die Folgen davon waren der Abbau von sozialen Leistungen der Arbeiterinnen und Arbeiter und die Schwächung gewerkschaftlicher Macht auf Betriebs- und politischer Ebene.[24]

1992 verlor Delia zum zweiten Mal ihre Arbeit bei Schering – diesmal endgültig. Der massive Abbau von Arbeitsplätzen bei Schering stand im Zusammenhang mit der Wirtschaftspolitik der Regierung Fujimori, der die Importzölle nochmals stark senkte oder abschaffte, so daß viele transnationale Firmen nun ihre im Ausland hergestellten Produkte auf dem peruanischen Markt verkaufen konnten, ohne eigene Produktionsstätten

23 Denis Sulmont: Die Gewerkschaftsbewegung angesichts der Wirtschaftskrise. Peru 1976-1979, in: Peru-Gruppe Hamburg, Informationsstelle Lateinamerika (Hg.): Die peruanische Gewerkschaftsbewegung von den Anfängen bis 1979. Bonn, 1980, S. 51.

24 Eleonore von Oertzen: Peru. München: C. H. Beck, 1988. S. 113ff.

in Peru zu unterhalten. Die Folgen davon waren die Schließung von Produktionsbetrieben in Peru und Massenentlassungen, die zur Umgehung des gesetzlichen Kündigungsschutzes durch Abfindungsangebote an die Beschäftigten „erkauft" wurden. Nachdem ein Großteil der Kolleginnen und Kollegen das Angebot von Schering akzeptiert hatte und die politischen und rechtlichen Bedingungen keine Aussicht auf eine kollektive Lösung erwarten ließen, sah sich Delia schließlich gezwungen, ihre Kündigung einzureichen.

Insgesamt haben die wirtschaftspolitischen und arbeitsrechtlichen Veränderungen unter der Regierung Fujimori seit Beginn der neunziger Jahre zu einer Schwächung der peruanischen Gewerkschaftsbewegung geführt. Gleichzeitig entwickelten aber auch die Interessenverbände der Sektoren, in die viele entlassene Arbeiterinnen und Arbeiter abzuwandern gezwungen waren, ein kämpferisches Profil: Der ambulante Handel z. B. ermöglicht vielen einst abhängig Beschäftigten nicht nur ein wirtschaftliches Überleben, sondern die Bildung neuer organisatorischer Formen zur Verteidigung ihrer Rechte, wie z. B. in der *Confederación de Ambulantes del Perú (CAP).*[25]

Zur *Parteiengeschichte der peruanischen Linken* ab den sechziger Jahren sollen hier nur die zum Verständnis der Biographie Delias notwendigen Organisationen und programmatischen Orientierungen angefügt werden. Grundsätzlich müssen die Vereinigungen und Spaltungen in der peruanischen Bewegung im Zusammenhang der lateinamerikanischen und weltweiten Entwicklung revolutionärer Theorie und Praxis gesehen werden, die sich auf das politische Zentrum Moskau oder die Lehren von Mao, Castro und Guevara sowie Trotzki bezogen, wobei oftmals noch persönliche Auseinandersetzungen die Konflikte verschärften.

Ihre ersten parteipolitischen Orientierungen erfährt Delia Zamudio nicht durch die APRA, deren aktives Mitglied ihre Mutter ist, sondern von einem Genossen aus der trotzkistischen *Partido Socialista de Trabajadores (PST)*[26], der auch Delia beitritt. Als Aktivistin dieser Partei beteiligt sie sich schließlich am Aufbau des Bündnisses *Frente Obrero, Campesino, Estudiantil del Perú (FOCEP)*[27] anläßlich der Wahl zur Verfassunggebenden Versammlung 1978, für die der legendäre Bauernführer Hugo Blanco einen großen Erfolg erringen konnte. Nach der Manipulation dieses Bündnisses durch die Führung und die zunehmende Ein-

25 Konföderation der Straßenhändler Perus.
26 Sozialistische Arbeiterpartei, gegründet 1974.
27 Arbeiter-, Bauern- und Studentenfront Perus.

flußnahme der argentinischen Schwesterpartei, die ihre „Standardrezepte" auf Peru übertragen wollte, wurde die *Partido Revolucionario de Trabajadores (PRT)*[28] gegründet. Diese war Bestandteil des trotzkistischen Blockes innerhalb der *Alianza Revolucionaria de Izquierda (ARI)*[29], die als Präsidentschaftskandidaten für die Wahlen im Mai 1980 Hugo Blanco aufstellen wollte.[30] Das Bündnis zerbrach aber vor dem Wahltermin, Delias Kandidatur als Abgeordnete der *PRT* scheiterte nur knapp infolge einer Neuverteilung des 1. Listenplatzes zugunsten eines gerade entlassenen Gewerkschaftsgenossen. Bei der folgenden Spaltung ihrer Partei entscheidet Delia sich für den Verbleib in der *PRT* und damit für die Beibehaltung eines trotzkistischen Profils. Mit dem Hinweis auf die trotzkistische Orientierung wurden die Anträge der *PRT* zur Aufnahme in das im Juli 1980 gegründete linke Bündnis *Izquierda Unida (IU)*[31] mehrfach abgelehnt.[32] Die Mehrheit der PRT-Genossinnen und -genossen schließt sich jedoch im Jahre 1986 der *Partido Unificado Mariateguista (PUM)*[33] an und ist dadurch Mitglied der IU. Den größten Wahlerfolg konnte die Linke bei den Kommunalwahlen im November 1983 erringen, als der Kandidat der IU, Alfonso Barrantes, zum Bürgermeister Limas gewählt wurde. Aus den Präsidentschaftswahlen 1985 ging Alan García als erster apristischer Regierungschef hervor. Nach dem Scheitern seiner Wirtschaftspolitik verlor die Linke insgesamt an Stimmen, und rechte Gruppierungen setzten sich auf kommunaler und nationaler Ebene durch.

In dieser Zeit verstärkten sich auch die bewaffneten Aktionen der Guerilla „Leuchtender Pfad" (*Partido Comunista Peruano – Sendero Luminoso, PCP-SL)*[34], die als Abspaltung einer maoistischen Partei seit Mai 1980 unter der Führung des Philosophieprofessors Abimael Guzmán Reynoso einen bewaffneten Kampf führt. Die Bombenanschläge und Attentate waren dabei nicht nur gegen Regierung und Militär gerichtet, sondern auch gegen andere linke Organisationen und deren Führungen, die

28 Revolutionäre Arbeiterpartei, gegründet im Oktober 1978.

29 Revolutionäres Bündnis der Linken, bestand von Januar bis März 1980.

30 Eleonore von Oertzen, Klaus Trusch, Ute Wachendörfer: Länderbericht Peru, in: Veronika Bennholdt-Thomsen u.a.: Lateinamerika, Analysen und Berichte, Bd. 4. Berlin: Olle und Wolter, 1980. S. 323-336.

31 Vereinigte Linke.

32 Eleonore von Oertzen, 1980, a.a.O. S. 173.

33 Vereinigte Mariateguistische Partei, gegründet im Oktober 1984 als Zusammenschluß der revolutionären Linken.

34 Kommunistische Partei Perus – Leuchtender Pfad.

von der PCP-SL als „Lakaien des Systems" diffamiert wurden. Diese waren damit den Angriffen sowohl des staatlichen Repressionsapparates als auch sogenannten Vergeltungsschlägen durch den „Leuchtenden Pfad" ausgesetzt und mußten ihren unabhängigen politischen Kampf auf zunehmend schmaler werdendem Grat entwickeln. Das führte dazu, daß sie weder gegen den Terror der Regierung noch gegen die blutigen Aktionen der maoistischen Guerilla offen Stellung bezogen, um keiner Seite Vorwände zu Gegenaktionen zu liefern. Obwohl seit der Festnahme des Vorsitzenden der PCP-SL im Jahre 1992 nur noch ein kleiner Teil der Organisation den Kampf fortsetzt, ist bisher eine offene Diskussion über den Terror der achtziger Jahre in Peru ausgeblieben.

## Feministin

*»In der linken Bewegung hatte es Frauen wie Clara Zetkin gegeben, die sich für die Gleichheit von Mann und Frau in den politischen Parteien eingesetzt hatten. Das konnte doch nicht alles umsonst gewesen sein?«*

Die rassistische und sexistische Diskriminierung, der Delia Zamudio in ihrer Kindheit und Jugend ausgesetzt war, setzt sich in den Organisationen fort, denen sie sich als Arbeiterin angeschlossen hat. Die Autorin entdeckt die (Frauen-)Problematik durch die üble Behandlung, die (sie) in den gewerkschaftlichen Gremien erfährt und versucht, ebendort die Belange der weiblichen Beschäftigten zu vertreten. Die Auseinandersetzungen innerhalb der Frauenbewegung, über die Delia aus ihrer eigenen Erfahrung berichtet, stellen die Frage nach der Entwicklung und den aktuellen Facetten des organisierten Feminismus in Peru, die im folgenden kurz nachgezeichnet werden sollen.

Durch die Eroberung Perus wurde die direkte Versklavung indigener und schwarzer Frauen sowie die Unterwerfung aller Frauen unter die katholische Sittenlehre zur gesellschaftlichen Norm: *Femmes fatales* wurden als Hexen der Verdammung und Vernichtung preisgegeben, *femmes anges* als Heilige verklärt.[35] Dabei spielte die Hautfarbe eine wesentliche Rolle für die Positionierung der Frauen innerhalb des sozialen Gefüges der Kolonie: So dienten schwarze Frauen beispielsweise als schützende Begleiterinnen für die „unbefleckte Ehre" weißer Bürgertöchter, indem die Nachstellungen junger Männer auf die mit dem Stereotyp der Sinnlichkeit und

35 Friedrich Wolfzettel: Vorwort, in: Flora Tristan: Meine Reise nach Peru. Frankfurt: Sozietäts-Verlag, 1983. S. 18.

Unmoral behafteten Afroperuanerinnen gelenkt wurde.[36] Die Kinder aus gemischten Beziehungen bzw. Vergewaltigungen waren immer von weißen Männern und schwarzen oder indianischen Frauen.[37]

Aus der Zeit des kolonialen Perus sind Beispiele einzelner Frauen dokumentiert, die für die Befreiung von spanischer Herrschaft kämpften: An erster Stelle ist dabei Micaela Bastidas zu nennen, die zusammen mit ihrem Mann Tupac Amaru einen offenen Kampf gegen die kolonialen Truppen führte und nach ihrer militärischen Niederlage im Jahre 1781 von den spanischen Besetzern ermordet wurde.[38] Während den Befreiern des Landes vom kolonialen Joch, den Generälen Bolívar, San Martín und Sucre, an jedem mittelgroßen Ort Perus durch überlebensgroße Statuen gedacht wird, hat die offizielle Historiographie die Namen der Frauen, die ihr Leben dem Kampf gegen die spanischen Truppen widmeten, wie Juana Azurduy, María Parado de Bellido, Rosa Campusano, Melchora Balandra und andere größtenteils vergessen.

Die Kämpfe um die nationale Unabhängigkeit Perus führten zu einer starken Identifikation der erstarkenden Bourgeoisie mit den Ideen der französischen Revolution. Der Bericht einer Reise in die neugegründete Republik Peru von Flora Tristán, Tochter eines spanisch-peruanischen Offiziers und einer französischen Bürgerin, gibt ein unerwartetes Bild des peruanischen Bürgertums: „Es gibt keinen Ort auf der Erde, wo die Frauen freier wären und größere Macht hätten als in Lima."[39] „Die Überlegenheit der Frauen Limas über das andere Geschlecht ist mithin der überlegenen Intelligenz zuzuschreiben, mit der sie von Gott bedacht worden ist"[40], schreibt sie über ihre Eindrücke in der hauptstädtischen Gesellschaft. Erst nach ihrer Rückkehr nach Frankreich kommt sie, beeinflußt vom utopischen Sozialismus Fouriers, zu einer neuen Interpretation: „Selbst der unterdrückteste Mann kann ein anderes Wesen unterdrücken: seine Frau. Sie ist die Proletarierin des Proletariers", wurden ihre Erfahrungen zusammengefaßt.[41]

36 Marfil Francke: Género, Clase y Etnía: La Trenza de la Dominación, in: Carlos Iván Degregori u.a. (Hg.): Tiempos de Ira y Amor. Nuevos Actores para Viejos Problemas. Lima: Desco, 1990. S. 92.

37 A.a.O. S. 93.

38 Sara Beatriz Guardia: Mujeres Peruanas. El otro Lado de la Historia. Lima, 1985. S. 44f.

39 Tristán, a.a.O. S. 320.

40 A.a.O. S. 325.

41 Zitiert nach Yolando Marco: „Einführung" in: Flora Tristan: Arbeiterunion. Frankfurt/M.: ISP, 1986. S. 35.

In den ersten Jahrzehnten der Republik wurden die Grund- und Mittelschulen (*primaria* und *secundaria*) auch für einige Töchter der städtischen Oberschicht geöffnet; die Ausbildung beschränkte sich jedoch auf Inhalte, die sie auf den häuslichen Alltag als Ehefrauen vorbereiten sollten.[42] 1874 konnte sich die erste Frau an einer peruanischen Universität immatrikulieren – mit einer Sondererlaubnis nach umfangreichen Prüfungen. Diese erste Absolventin einer akademischen Laufbahn eröffnete auch die erste Mädchenschule mit natur- und gesellschaftswissenschaftlichen Fächern. In dieser Zeit erschienen die ersten Frauenzeitschriften, und ein literarischer Salon traf sich regelmäßig im Hause der argentinischen Journalistin Juana Manuela Gorriti.

Im Verlauf der Industrialisierung nahm auch der Anteil abhängig beschäftigter Arbeiterinnen in der städtischen Industrie und im Handwerk zu. Die ersten betriebsgewerkschaftlichen Gremien konnten im Jahre 1918 den Achtstundentag für Frauen und Minderjährige erkämpfen. 1914 wurde die erste Frauenorganisation *Evolución Femenina* von Frauen aus der Mittelschicht mit Berufsausbildung gegründet, die vor allem durch Eingaben an das Abgeordnetenhaus um die juristische Gleichstellung stritt – die Zusammensetzung des Parlamentes hatten sie damals, etwa 30 Jahre vor Gewährung des Wahlrechtes für Frauen, nicht mitbestimmen können. Nach Teilerfolgen wurde die Vorsitzende der Organisation, María Jesús Alvarado, durch Erlaß des Präsidenten Leguía für elf Jahre nach Argentinien verbannt. Die Kämpfe der erstarkenden proletarischen Bewegung im Jahre 1919 schlossen erstmals auch die Forderung nach der Gründung eines Frauenkomitees ein. Das erste Treffen wurde zwar durch Polizeigewalt verhindert, aber die Vereinigung von Arbeiterinnen und Arbeitern im Klassenkampf war nicht mehr aufzuhalten.[43]

In den zwanziger und dreißiger Jahren artikulierten sich die Forderungen von Frauen der verschiedenen Sektoren der peruanischen Gesellschaft sowohl innerhalb sozialer Bewegungen wie der Gewerkschaften als auch in neu gegründeten Frauenorganisationen mit spezifischer Zielsetzung. So wurde das kommunale Wahlrecht für Frauen schließlich von einer weiteren Frauenorganisation, *Feminismo Peruano Zoila Aurora Cáceres*, die sich 1924 gegründet hatte, Mitte der dreißiger Jahre erreicht.

José Carlos Mariátegui gibt seine Einschätzung der „Frauenfrage“ bezeichnenderweise nicht in den berühmten „Sieben Essays, die peruanische Wirklichkeit zu verstehen“, sondern in seinen *Temas de educación*

42 Guardia, a.a.O. S. 51.
43 A.a.O. S. 72.

(„Essays über die Erziehung“) wieder: „Die Frauen sind, ebenso wie die Männer, reaktionär, liberal (*centrista*) oder revolutionär. Sie können demzufolge auch nicht die gleiche Schlacht schlagen. Im aktuellen sozialen Panorama werden die Individuen eher durch die Klasse als durch das Geschlecht differenziert.“ [44]

Unter dem Eindruck der politischen Auseinandersetzungen in Europa kam es jedoch 1936 zu einem organisatorischen Zusammenschluß verschiedener Sektoren der Frauenbewegung: Alicia del Prado aus der Kommunistischen Partei Perus gründete zusammen mit Frauen aus der sozialreformistischen APRA und unabhängigen Frauen die *Acción Femenina*, deren Zielsetzung vor allem in der Verbreitung sozialistischer Ideen und der ideologischen Schulung von Frauen bestand. Zu Beginn des Zweiten Weltkrieges ging von ihnen die Bildung des „Hilfskomitee ‚Weiße Flügel‘ für die Opfer des Zweiten Weltkrieges“ aus, das neben der praktischen Unterstützung der alliierten Soldaten auch politische Unterstützung für den antifaschistischen Kampf forderte und den Boykott deutscher Produkte propagierte.[45] Die *Acción Femenina* setzte ihre Arbeit nach dem Krieg fort, bis unter der Diktatur von General Odría schließlich auch diese Organisation aufgelöst und ihre Mitglieder verfolgt wurden. Derselbe General gewährte für die Wahlen 1956, die zur Ablösung der Diktatur führen sollten, das Wahlrecht für Frauen auch auf nationaler Ebene.

Erst zu Beginn der siebziger Jahre entstanden unter den Bedingungen der reformistischen Militärdiktatur von General Velasco Alvarado wieder verschiedene Frauenorganisationen, unter ihnen die *Unión Popular de Mujeres Peruanas*[46] und die erste sich selbst als feministisch bezeichnende *Acción para la Liberación de la Mujer Peruana (ALIMUPER)*.[47] In dieser Zeit verstärkten auch viele politische Parteien, insbesondere des linken Spektrums, ihre Arbeit mit und durch Frauen. Von den 100 Abgeordneten der Verfassunggebenden Versammlung 1978 waren zwei Frauen: eine Vertreterin der christdemokratischen *PPC* [48] und eine andere der trotzkistischen *POMR*.[49] Im darauffolgenden Jahr wurde schließlich das *Comité Coordinador de Organizaciones Feministas*[50] als Zusammenschluß der

44 José Carlos Mariátegui: Temas de Educación, in: Ders.: Obras Completas, Bd. 14. Lima: Biblioteca Amauta, 1970. S. 130.

45 Guardia, a.a.O. S. 90.

46 Volksvereinigung der Peruanischen Frauen.

47 Aktion zur Befreiung der peruanischen Frau.

48 *Partido Popular Cristiano*, Christliche Volkspartei.

49 *Partido Obrero Marxista Revolucionario*, Revolutionäre Marxistische Arbeiterpartei.

50 Koordinationskomitee feministischer Organisationen.

Mehrzahl linker Frauengruppen innerhalb und außerhalb des Parteienspektrums gegründet. In der Frage um die Autonomie der feministischen Bewegung bzw. ihrer Integration in die bestehenden sozialen und politischen Organisationen konnte jedoch kein Einvernehmen erreicht werden. Von dieser Zeit berichtet Delia über ihre Erfahrungen als Frau innerhalb der Gewerkschafts- und parteipolitischen Bewegung, die sich mit neuen Forderungen aus den Reihen ihrer weiblichen Mitglieder konfrontiert sah. Die Reaktionen der zumeist männlichen Führungsspitzen weisen auf das Fortbestehen von Zuständen hin, deren Überwindung schon seit dem Beginn der bürgerlichen Aufklärung postuliert worden ist. Zu Beginn der achtziger Jahre konnte schließlich die Bildung von Frauenkommissionen auf allen Ebenen der Gewerkschaften (Betrieb, Föderation, Zentrale) durchgesetzt werden, die die Forderungen der abhängig arbeitenden Frauen sowohl gegenüber den Arbeitgebern als auch in Bezug auf die gewerkschaftsinterne Politik weiter verteidigten.

Bis heute kämpft die feministische Bewegung in ihrer organisatorischen Vielfalt um die Durchsetzung von Forderungen, die große Bedeutung für die gesamte Gesellschaft haben. Beispielhaft seien hier erwähnt die Auseinandersetzungen um eine Reform der Gesetzgebung und sozialen und medizinischen Durchführung der Abtreibung, die bis heute unter dem Druck der katholischen Kirche verboten ist und zu den bekannten Folgen illegal praktizierter Eingriffe führt. Viele soziale Bewegungen auf Gemeindeebene, die die Schaffung von minimaler Infrastruktur wie Strom und Wasser, Schulen und Volksküchen verteidigen, werden wesentlich von Frauen getragen. Der ständige Druck der Frauenbewegung hat ein Klima geschaffen, in dem die gesellschaftliche Diskussion um „private" Konflikte im Geschlechterverhältnis und die Gewalt im häuslichen Bereich möglich geworden ist.

Insgesamt ist zu betonen, daß die sozialen Auseinandersetzungen keineswegs der vereinfachenden Vorstellung von Ausbeutung und Unterdrückung einerseits und des entschiedenen Widerstandes und Kampfes um Befreiung der handelnden Subjekte andererseits entsprechen. Die Reaktionen gegenüber Unrecht und zugefügtem Leid sind sehr viel komplexer und widersprüchlicher, als die Betrachtung herausragender Beispiele in Geschichte und Gegenwart erwarten läßt. In einem Essay mit dem programmatischen Titel „Das Schweigen, die Klage und die Aktion" untersucht der peruanische Soziologe Gonzalo Portocarrero (1990) mögliche Reaktionen auf die Erfahrung des Leids in der peruanischen Gesellschaft, wobei er drei Varianten herausarbeitet[51]: Ohnmächtiges Erleiden des zugefügten Unrechts unter den Bedingungen kolonialer Religiosität und des Vertrauens auf ein unbeeinflußbares Schicksal; das Beklagen der erfahrenen Leiden ohne die Überwindung der Situation im Zuge der Aufklärung und Säkularisierung; schließlich der Einsatz von individuellen und kollektiven Aktivitäten, die auf die Veränderung der Leiden verursachenden Bedingungen gerichtet sind, durch die Entwicklung des Rationalismus und der Technik. Diese möglichen Reaktionsmuster sind allerdings nicht als sich zwangsläufig entwickelnde Abfolge menschlicher Reaktionen zu verstehen, sondern werden angesichts der verschiedenen Situationen des Lebens vielfältig kombiniert.[52]

Auch in dem autobiographischen Zeugnis von Delia Zamudio sind unterschiedliche Handlungsweisen in Bezug auf gesellschaftliche Konflikte dargestellt. Daß sie dabei schon sehr früh in ihrem Leben zu aktiven Formen des Widerstandes gegen Unrecht und schließlich zur politischen (sprich: kollektiven) Auseinandersetzung in der sozialen Bewegung Perus fand, ist keineswegs selbstverständlich und macht gerade die besondere Bedeutung ihrer Erinnerungen aus. Die Widersprüche der Gesellschaft, in der Delia Zamudio als Schwarze rassistisch diskriminiert, als Arbeiterin ökonomisch ausgebeutet und als Frau sexistisch unterdrückt wurde und wird, sind weiterhin vorhanden und werden täglich aufs Neue reproduziert. Die Errungenschaften der sozialen Bewegungen, die in der Vergangenheit durchgesetzt werden konnten, sind im Zeitalter des Neoliberalismus auch in Peru gefährdet.

51 Gonzalo Portocarrero: El Silencio, la Queja y la Acción. Respuestas al Sufrimiento en la Cultura Peruana, in: Carlos Iván Degregori u.a. (Hg.): Tiempos de Ira y Amor. Nuevos Actores para Viejos Problemas. Lima: Desco, 1990. S. 221-243.

52 A.a.O. S. 241.

# Dokumentarischer Anhang:
# *Schering Farmacéutica Peruana S. A.*

## Dokument 1

### Henry Mathews

## Spielwiese Peru

Unter Berufung auf peruanische Gewerkschaften berichtete eine Aachener Peru-Solidaritätsgruppe 1984:

*„Die Firma Schering Peruana S. A erlangte in Peru traurige Berühmtheit, weil während eines 48stündigen Proteststreiks der Geschäftsführer des Unternehmens, J. P. Stobbe, mit einer elektrischen Säge erschien, um die Kette, die von Streikposten vor der Tür angebracht worden war, zu durchbrechen. Offensichtlich außer Kontrolle geraten, ohrfeigte Stobbe den Untersekretär der dortigen Gewerkschaft und griff die Arbeiter mit der Säge an, bis der Pullover des Arbeiters Manuel Sulla zerfetzte.*

*Dieser Vorfall wurde von der Belegschaft der Polizei angezeigt und in der peruanischen Zeitung ‚Marka' veröffentlicht. Der Streik bei Schering wurde von der Arbeitergewerkschaft ausgerufen, nachdem die Firmenleitung die Gewerkschaftsführung erst stundenlang auf die Unterschrift der Tarifvereinbarung warten ließ, um dann auf einmal mitzuteilen, daß der Tarifvertrag nicht angewandt würde, weil die Bedingungen für eine Lohnerhöhung nicht mehr gegeben seien; denn für das nächste Jahr erwarte man eine Verschlechterung der ökonomischen Situation des Unternehmens."*[1]

Anläßlich des 30jährigen Jubiläums der *Schering Farmacéutica Peruana S. A* schrieb deren Personalchef Roberto Díaz 1987 in einem Artikel für die bundesdeutsche Belegschaftszeitung „Scheringblätter":

*„Viele Jahre lang war Peru die ‚Spielwiese', auf der viele Schering-Mitarbeiter, die heute in leitender Position tätig sind, ihre Laufbahn begannen."*[2]

*Quelle:* Henry Mathews: Arbeitsmedizinische Wüste – Gesundheitsgefährdung bei Schering in Peru. In: Schering-Aktions-Netzwerk/Henry Mathews (Hrsg.): Schering – Die Pille macht Macht. Berichte über die Geschäfte des Schering-Konzerns. Stuttgart: Schmetterling, 1992, S. 157.

1 Zitiert nach: Peru-Informationen Nr. 11.
2 Scheringblätter 3/87, Berlin, März 1987.

Dokument 2

Henry Mathews

# Arbeitsmedizinische Wüste – Gesundheitsgefährdung bei Schering in Peru

Bis 1989 waren die Beschäftigten des peruanischen Schering-Werks in Lima tagtäglich hohen Dosen von Formaldehyd und der Bestrahlung mit ultraviolettem Licht ausgesetzt. Erst nach Protesten des Schering-Aktions-Netzwerks (SchAN) in der Bundesrepublik wurde diese gesundheitsschädigende Praxis eingestellt. Die Konzernleitung in Berlin bestreitet die Vorwürfe bis heute.

## Deutsche Chemiekonzerne sahnen ab

Schering eröffnete bereits 1957 in Lima die *Schering Farmacéutica Peruana* als Vertriebsniederlassung ihrer Pharma-Sparte. Erst 1962 wurde der Konzern dann durch protektionistische Maßnahmen der peruanischen Regierung gezwungen, im Land auch eine „Produktion" aufzubauen. Immense Zollbelastungen für den Import von Fertigprodukten und ein Gesetz[3], das den Import von Pharmazeutika weitgehend einschränkte, veranlaßten in dieser Zeit u. a. auch die Pharmaabteilungen von Bayer, BASF und Hoechst zu Investitionen in Peru. Ihre Aktivitäten belaufen sich jedoch ebenso wie die der Schering-Niederlassung im wesentlichen auf die Abfüllung und Verpackung von Arzneien, die von den Konzernmüttern bezogen werden.

## Blindheit in Kauf genommen

Die Räume des Schering-Werks in Lima, in denen Medikamente abgefüllt und verpackt werden, müssen aus pharmazeutischen Gründen möglichst keimfrei gehalten werden. Eine hierfür weltweit gebräuchliche Methode ist die nächtliche Bestrahlung der Werkhallen mit ultraviolettem Licht.

Die Eifrigkeit der Unternehmensleitung der *Schering Farmacéutica Peruana* ging bis Mitte 1989 aber weit über diese Anwendung hinaus. Während des ganzen Tages blieben die UV-Lampen eingeschaltet, so daß die Beschäftigten während der gesamten Arbeitszeit ihrer Strahlung ausgesetzt waren. Der Vergleich mit einer Passage aus der Unfallverhütungs-

3 Gesetz D.L. 66 vom 24. Juli 1960.

vorschrift (UVV), die die UV-Desinfektion in der Bundesrepublik regelt, macht die Unhaltbarkeit dieser Praxis deutlich:

„Ultraviolette Strahler zur Desinfektion müssen so angeordnet sein und betrieben werden, daß die Augen und die Haut der Beschäftigten nicht beschädigt werden.“[4]

Neben akuten Hautschäden kann UV-Licht Hautkrebs auslösen und vor allem die Netzhaut der Augen irreversibel schädigen. Aus diesem Grund wird in den bundesdeutschen Schering-Werken selbst in hochsterilen Räumen streng darauf geachtet, daß die Menschen nicht mit dem auch dort eingesetzten UV-Licht bestrahlt werden.

Die *International Radiation Protection Association* (IRPA), der auch der in der Bundesrepublik zuständige Fachverband für Strahlenschutz (FS) angehört, hat deshalb 1985 Richtwerte für die maximal vertretbare Bestrahlungsstärke am Arbeitsplatz erarbeitet, die im Juni 1989 noch verschärft wurden. Die Frage, ob diese Grenzwerte („*exposure limits*“) der IRPA im Schering-Werk Lima eingehalten würden, ließ Klaus-Peter Kantzer, Vorstandsmitglied der Schering AG, auf der Aktionärs-Hauptversammlung des Unternehmens 1989 unbeantwortet. Die UV-Lampen würden nur nachts betrieben, versicherte er den Anteilseignern. Hinweise eines SchAN-Mitglieds auf einen ununterbrochenen Betrieb der Lampen konterte Kantzer: „*(...) wenn Ihre Behauptung zutreffen würde, (...) wären unsere Mitarbeiter schon alle blind.*“[5]

Exakt diesem Schicksal versuchten die Beschäftigten in Lima derweil durch das Tragen von Schutzbrillen zu entgehen. Eine ehemalige Arbeiterin des Werks sagte gegenüber der SchAN: „*Die werden da alle langsam blind.*“

## Formaldehyd-Begasung

Zusätzlich zum UV-Licht wurde bei der Pharma-Verpackung der *Schering Farmacéutica Peruana* auch chemisch desinfiziert: „*Formalina*“ stöhnten die ArbeiterInnen, die die Wirkung des Mittels am eigenen Leib erfuhren. Formalin, in Wasser gelöstes Formaldehyd, war bei Schering in Lima viele Jahre lang das Mittel der Wahl.

Der krebserregende Stoff ist in der Bundesrepublik vor allem durch die Diskussion um Ausdünstungen aus Preßspanplatten bekannt. Über die

4 UVV Gesundheitsdienst der Berufsgenossenschaft Feinmechanik und Elektrotechnik vom 1. 4. 1987, 16 (1).

5 Zitiert nach dem offiziellen stenografischen Protokoll der Hauptversammlung der Schering AG am 14. 6. 1989 in Berlin.

akuten Schäden, die er verursacht, schreibt die Bundesanstalt für Arbeitsschutz: Schon 2,5 bis 3,75 Milligramm Formaldehyd pro Kubikmeter Atemluft *„verursachen ein Stechen und Brennen in der Nase, Augen und Kehle. (...) In höheren Konzentrationen führt Formaldehyd zu länger anhaltenden und schließlich zu irrevisiblen Schäden am betroffenen Organ.“*[6]

Bei Schering in Peru wurde Formalin zur Desinfektion der Verpackungsräume verdampft. Auch hier kann der Vergleich mit bundesdeutschen Regelungen zur Beurteilung dieser Praxis herangezogen werden. Die Bundesanstalt für Arbeitsschutz schreibt für die Zeit nach einer Formaldehyd-Verdampfung vor: Es *„darf der desinfizierte Raum zunächst nur mit einer Atemmaske (...) betreten werden. Der Raum muß mehrere Tage gelüftet werden, (...) auch nach mehrtägigem Lüften kann es in der Raumluft (...) zu Formaldehydkonzentrationen kommen, die über dem MAK-Wert liegen.“*[7]

Diese im Heimatland des Schering-Konzerns verbindliche Regelung wurde im peruanischen Tochterwerk nicht eingehalten. Vielmehr wurde dort in jeder Nacht von 19.00 bis 5.00 Uhr mit Formalin desinfiziert. Lediglich in der kurzen Zeitspanne bis zum Arbeitsbeginn in den betroffenen Räumen um 7.30 Uhr wurde dann gelüftet. Sämtliche Arbeiterinnen und Arbeiter in der Abteilung Pharmaverpackung des Werks litten stark unter Symptomen, die den oben beschriebenen typischen Auswirkungen von Formaldehyd entsprachen. Insbesondere heftige Augen- und Schleimhautreizungen gehörten zum Arbeitsalltag; Atemweginfektionen waren keine Seltenheit. Mehrfach aufgetretene Wucherungen am Gebärmutterhals weiblicher Beschäftigter, die zur Sterilität der Frauen führten, lassen sich nicht nachweislich auf das Formaldehyd zurückführen, können aber durchaus dadurch verursacht sein.

Die chemische Desinfektion pharmazeutischer Produktionsräume ist ebenso wie die UV-Desinfektion auch in der Bundesrepublik üblich. Verwendung finden hier jedoch Chemikalien, die keine oder nur geringe belästigende oder gesundheitsgefährdende Wirkungen auf die in den Räumen tätigen Menschen entfalten. Das Formalin konnte nach Beendigung seiner Anwendung bei Schering in Lima problemlos durch andere Desinfektionsmittel ersetzt werden. Sie haben für das Unternehmen nur einen Nachteil: Sie sind etwas teurer.

6 Schriftenreihe der Bundesanstalt für Arbeitsschutz, GA 16, Formaldehyd – Anwendung in Krankenhäusern, 3. Aufl., Dortmund, 1988, S. 3.

7 Ebd., S. 9.

## Dementis trotz klammheimlicher Behebung

Die betroffenen Beschäftigten hatten vor 1989 bereits seit Jahren gegen die Belastungen durch UV-Licht und Formalin protestiert und die Geschäftsführung der *Schering Farmacéutica Peruana* um Verbesserungen ihrer Arbeitsbedingungen ersucht. Die an ihrer Spitze stets mit Deutschen besetzte Firmenleitung hatte die Ersuchen jedoch generell zurückgewiesen und die Desinfektionspraxis als unbedenklich bezeichnet.

Eine von der Betriebsgewerkschaft veranlaßte Inspektion durch das Arbeitsministerium (siehe Kasten) blieb trotz von ihr festgestellter Gesundheitsgefahren und ausgesprochener Verbesserungsempfehlungen folgenlos. Die Beschäftigten sehen als Ursachen die generelle Überlastung und die schlechte Ausstattung der Behörden, die eine Durchsetzung von Arbeitsschutzmaßnahmen unmöglich machen. Vor allem aber werden die peruanischen Arbeitsschutz-Vorschriften den Erfordernissen eines umfassenden Gesundheitsschutzes bei weitem nicht gerecht. Hier wäre Schering gefordert gewesen, von Beginn an freiwillig die im Heimatland des Konzerns üblichen Standards einzuhalten.

Auf der Aktionärs-Hauptversammlung der Schering AG im Juni 1989 und in kurz danach erschienenen Publikationen machten SchAN-Mitglieder die gesundheitsgefährdenden Arbeitsbedingungen bei der Niederlassung in Lima erstmals öffentlich in der Bundesrepublik bekannt. Während Vorstand und Öffentlichkeitsarbeit des Konzerns diese Informationen bis heute dementieren, sorgte das Unternehmen hinter den Kulissen für Verbesserungen.

Bereits wenige Tage nach der Hauptversammlung wurde die Arbeit in der Abteilung Pharmaverpackung in Lima eingestellt. Eine Gruppe deutscher Schering-Techniker reiste nach Peru, um die Vorwürfe zu überprüfen. Als sie das Werk wieder verließen und die Produktion wieder aufgenommen wurde, waren die beschriebenen Gesundheitsbelastungen für die dortigen Beschäftigten beseitigt worden. Die UV-Lampen werden seitdem tatsächlich nur noch nachts – also in Abwesenheit der Beschäftigten – betrieben, und der stechende Geruch des Formalins ist in den Verpackungsräumen nicht mehr wahrzunehmen.

Eine vergleichsweise geringe öffentliche Aufmerksamkeit in Deutschland veranlaßte den Konzern zu den notwendigen Maßnahmen des Gesundheitsschutzes. Beschwerden und Proteste der betroffenen Belegschaft waren hingegen seit Jahren ignoriert worden. Der Fall führt vor Augen, welche geringe Bedeutung die Verantwortlichen bei Schering der

Gesundheit einzelner Beschäftigter beimessen, wie groß hingegen ihre Sorge um das gute Image des Konzerns ist.

Veranlaßt durch eine Anzeige der Betriebsgewerkschaft besichtigte am 13. April 1988 die Inspektorin des peruanischen Arbeitsministeriums, Julia Soledad Liñán Colchado, das Schering-Werk in Lima. Das folgende übersetzte Zitat entstammt ihrem Bericht über diesen Besuch an den Vizedirektor für berufliche Hygiene und Sicherheit. Der Bericht datiert vom 10. Mai 1988 und trägt die Nr. 045-88-SD-HSO.

*„(...) Halle der Salbenabfüllung (...) In der Nacht vor der Abfüllung wird eine alkoholische Formalinlösung (Formol – Alkohol zu gleichen Teilen) in ein Gefäß auf einer Heizplatte gegeben, damit sie in die Umgebung verdampft und so Keime vernichtet. Diese Information gab der Produktionsleiter.*

*Wie im Inspektionsprotokoll des Tages vermerkt ist, befand sich in dem Behälter (Glas) ein Rest von 200 ml Formalin, d. h. es verdampfte während der Arbeitszeit weiter in die Umgebung. Der charakteristische Geruch des Produkts ist wegen seines Formolgehalts lästig und reizend.*

*Es gibt ein Absaugungsgerät. Nach den Abfüllvorschriften gibt es die Anweisung, daß die Abfüllung, d. h. der Zutritt des Personals, 30 Minuten nach der Ingangsetzung der Absauganlage beginnt, um das Formalin zu beseitigen. Aus dem Genannten ergibt sich, daß dem nicht vollständig Folge geleistet wird. (...)“*

Auf der Hauptversammlung der Schering AG im Juni 1989, die über das Geschäftsjahr 1988 zu befinden hatte, sagte Klaus-Peter Kantzer für den Vorstand des Konzerns folgendes zu diesem Thema:

*„(...) Wir haben in unserer Produktion in Peru zwei aseptische Räume, die alle drei bis vier Wochen mit Desinfektionsmitteln behandelt werden. Dies geschieht in der Regel am Freitag abend bis Samstag früh, und bevor die Mitarbeiter am Montag ihre Arbeit beginnen, wird durch Luftproben festgestellt, daß die Luft unbedenklich ist, und daß also keine Gefahr und kein Risiko für unsere Mitarbeiter besteht.“*[8]

*Quelle:* Schering-Aktions-Netzwerk, Henry Mathews (Hrsg.): Schering – Die Pille macht Macht: Berichte über die Geschäfte des Schering-Konzerns. Stuttgart: Schmetterling, 1992, S. 155-161 (Ausz.)

8 siehe Fußnote 5.

Dokument 3

## Katharina Müller

# Bespitzelung und Diffamierung der Gewerkschaft

FETLDA, der Dachverband der peruanischen LaboratoriumsarbeiterInnen, berichtete Mitte 1990, die Leitung der *Schering Farmacéutica Peruana* sei nach Kräften bemüht, die Gewerkschaftsarbeit zu behindern. Dazu gehöre nicht nur die Anweisung an die Telefonistin der Schering-Rezeption, alle für den Gewerkschaftsvorstand eingehenden Gespräche mitzuschneiden, sondern auch gezielte psychologische Einflußnahme auf die Belegschaft. Als Beispiel wurde ein Vortrag eines eigens bestellten Psychologen angeführt, der Gewerkschaftsarbeit als ein Kompensationsventil für soziale Außenseiter darstellte.

Die Schering-Leitung war sich auch nicht zu schade, mit Hilfe eines offenbar speziell angefertigten Zeichentrickfilms einzelne Mitglieder des Gewerkschaftsvorstands als penetrante Unruhestifter zu diffamieren, die im Film – Ende gut, alles gut – schließlich zur allgemeinen Erleichterung gefeuert werden. Wunschträume eines deutschen Pharma-Multis: Friedhofsruhe im Werk Lima.

*Quelle:* Schering-Aktions-Netzwerk, Henry Mathews (Hrsg.): Schering – Die Pille macht Macht: Berichte über die Geschäfte des Schering-Konzerns. Stuttgart: Schmetterling, 1992, S. 163 (Ausz.)

Dokument 4

Katharina Müller

# Europäische Preise – afrikanische Löhne: Polizei gegen Schering-ArbeiterInnen in Peru

„*Precios europeos, salarios africanos*" titelte die peruanische Tageszeitung „Página Libre" kürzlich. Der jüngsten Preisexplosion in dem Andenstaat stehen keine entsprechenden Lohnerhöhungen gegenüber. Auch die Beschäftigten der Niederlassung des bundesdeutschen Pharmakonzerns Schering in Lima sind von dieser Krise schwer betroffen. Seit am 17. August 1990 die jährliche Tarifrunde bei der *Schering Farmacéutica Peruana* begonnen hat, steht für die Arbeiterinnen und Arbeiter erneut ihr unmittelbarstes Problem auf der Tagesordnung: Sie müssen gegenüber der Schering-Betriebsleitung eine Lohnerhöhung durchsetzen, die ihnen für die nächsten zwölf Monate halbwegs volle Mägen garantiert.

In den letzten Monaten hatten die Schering-Löhne oft bei weitem nicht ausgereicht, den Bedarf an Grundnahrungsmitteln zu decken. Ende Juli 1990 verdienten die Schering-ArbeiterInnen gerade 350.000 Intis pro Tag – etwa 2,30 US-Dollar. Nach Berechnungen des renommierten peruanischen Wirtschaftsforschungsinstitutes CUANTO war zur minimalen Ernährung einer vierköpfigen Familie derweil der doppelte Betrag erforderlich. Bis zum 27. August 1990 war der Grundlohn der ArbeiterInnen bei Schering-Lima nicht gestiegen und hat inzwischen einen Gegenwert von kaum noch einem US-Dollar pro Tag.

Die von der Regierung dekretierte einmalige Sonder-Lohnzahlung in Höhe des Monatsverdienstes vom Juli 1990 half den peruanischen ArbeitnehmerInnen in dieser Situation nur wenig, zumal die Sonderzahlung als Vorschuß für jeweils kommende Tarifabschlüsse zu verrechnen ist. Bei der *Schering Farmacéutica Peruana* lag diese partielle Kompensation mit 11 Millionen Intis (ca. 35 US-Dollar) besonders niedrig, da sie auf der Basis des schon vorher unzureichenden Lohns kalkuliert wurde. Die Geschäftsführung mußte auf dringende Bitten der Betriebsgewerkschaft vier Mio. Intis zusätzlich auszahlen. Angesichts der Preissteigerungen von über 400 Prozent ist diese einmalige Sonderleistung von 150 Prozent eines Monatslohns jedoch bestenfalls der berühmte Tropfen auf den heißen

Stein. Einzige echte Hilfe für die Beschäftigten wäre ein baldiger Tarifabschluß, der den realen Verhältnissen gerecht wird.

Fast drei Mio. Intis kosten die Grundnahrungsmittel für eine vierköpfige Familie in Lima momentan täglich. Die Arbeiterinnen und Arbeiter des Schering-Werks verdienen im August einschließlich der genannten und einer weiteren staatlich verordneten Sonderleistung weniger als ein Drittel dieser Summe. Der Tageslohn von umgerechnet etwa drei US-Dollar steht Preisen von ca. einem US-Dollar für einen Liter Milch oder ein Kilogramm Kartoffeln gegenüber. In der ersten Tarifrunde bei Schering-Lima vor wenigen Tagen hat die Unternehmensleitung der Arbeiterschaft einen Tageslohn von 2,45 Mio. Intis angeboten. Mit einem Gegenwert von etwa sieben US-Dollar ist dies bereits jetzt zu wenig, um die Mägen der Beschäftigten zu füllen. Eine Indexierung der Löhne, d. h. ihre kontinuierliche Anpassung an die Inflation, soll es nach dem Willen der Geschäftsführung der *Schering Farmacéutica Peruana* ebenfalls nicht geben. Stattdessen soll die Höhe der Bezüge an die monatliche Absatzentwicklung gekoppelt und somit das Geschäftsrisiko des Unternehmens an die ArbeiterInnen weitergegeben werden.

Angesichts dieses beispiellos zynischen Angebots sah sich die Betriebsgewerkschaft gezwungen, für den 28. August 1990 einen Warnstreik anzudrohen. Da die Hauptstadt Lima wie der größte Teil des Landes seit Jahren unter Ausnahmerecht steht, gilt jeder Streik, der nicht von der Militärverwaltung ausdrücklich genehmigt wurde, als illegaler „wilder" Streik. Allein auf die Befürchtung hin, der angedrohte Streik könne realisiert werden, alarmierte die Unternehmensleitung am 28. August 1990 die Polizei. Mehrere Einheiten stürmten daraufhin das Schering-Werksgelände und drangen bis in die Produktionshallen vor. Die Polizisten fanden alle Beschäftigten arbeitend vor.

Die Betriebsgewerkschaft von Schering-Lima bemüht sich derzeit um die Genehmigung für einen angemeldeten, legalen Streik, der bei Unnachgiebigkeit der Unternehmensleitung in den Tarifverhandlungen noch in dieser Woche stattfinden soll.

*Quelle:* express. Zeitung für Betriebs- und sozialistische Gewerkschaftsarbeit, H. 9/1990, S. 13

Dokument 5

## Katharina Müller/Dietmar Bartz

# Schering-Streiks nach „Fuji-Schock“

Mit hundertprozentiger Beteiligung ist am Mittwoch ein zweitägiger Streik der Schering-Beschäftigten in Lima zu Ende gegangen. Die Polizei der peruanischen Hauptstadt war zwar erschienen, griff aber nicht ein, weil der Ausstand von der Militärregierung doch noch genehmigt worden war. Lima steht wie der größte Teil des Landes unter Ausnahmerecht. Gefordert wird ein Basislohn von 30 Millionen Inti pro Tag; von der Geschäftsleitung liegt ein Angebot über 2,4 Millionen Inti vor.

Die jährliche Tarifrunde für die rund 70 Beschäftigten der Niederlassung des bundesdeutschen Pharma-Konzerns hatte am 17. August 1990 begonnen, nachdem der „Fuji-Schock“ die Lebensmittelpreise erneut hatte explodieren lassen. Das am 8. August 1990 verkündete wirtschaftliche „Stabilisierungs“-Programm des neuen Staatspräsidenten Fujimori, das unter anderem die Streichung von Lebensmittelsubventionen und eine Erhöhung der Benzinpreise um 3.000 Prozent umfaßt, hatte allein an jenem Tag zu einer Inflationsrate von 136,5 Prozent geführt. Trotz der in den darauffolgenden Tagen leicht sinkenden Preise haben sich die Kosten für den ohnehin miserabel kalkulierten Familien-Warenkorb dauerhaft mindestens vervierfacht. Ende Juli verdienten die Schering-ArbeiterInnen gerade 354.000 Inti am Tag, umgerechnet etwa 2,30 US-Dollar. Nach Berechnungen des renommierten peruanischen Wirtschaftsforschungsinstituts Cuanto war zur minimalen Ernährung einer Familie mit vier Kindern derweil der doppelte Betrag erforderlich. Die von der Regierung dekretierte einmalige Sonderzahlung in Höhe eines Juli-Monatslohns half auch nur wenig, zumal die Sonderzahlung als Vorschuß in der Tarifrunde zu verrechnen ist.

Bei der *Schering Farmacéutica Peruana* lag diese partielle Kompensation mit elf Millionen Inti besonders niedrig, da sie auf der Basis des schon vorher unzureichenden Lohnes kalkuliert wurde. Auf dringende Bitte der Betriebsgewerkschaft hatte die Geschäftsführung vier Millionen Inti zusätzlich ausgezahlt.

Fast drei Millionen Inti kosten die Grundnahrungsmittel für eine vierköpfige Familie in Lima täglich. Die Schering-Beschäftigten verdienten im August einschließlich der Zusatzzahlungen und einer weiteren staatlich verordneten Sonderleistung weniger als ein Drittel. Dem Tageslohn von umgerechnet drei Dollar stehen Preise von fast einem Dollar für einen Liter Milch oder einem Kilo Kartoffeln gegenüber. So ist das Arbeitgeberangebot von 2,4 Millionen Inti mit einem Gegenwert von rund sieben Dollar jetzt schon zu wenig, um auch nur die Mägen der Beschäftigten zu füllen. „*Das reicht nicht einmal zum essen, Herr Geschäftsführer*", heißt es denn auch in einem Flugblatt der Gewerkschaft, das kurz vor dem Streik erschienen ist, und weiter: „*Vom Erwerb von Medizin, Kleidung, Miete, Strom- und Wasserrechnungen oder den Ausgaben für unsere schulpflichtigen Kinder ganz zu schweigen!*"

Mit offenen Briefen hat sich indes das pharma-kritische Schering-Aktionsnetzwerk (SchAN) an die Arbeitnehmervertreter im Aufsichtsrat des Berliner Konzerns gewendet, um sie zur Unterstützung der KollegInnen in Peru aufzufordern.

*Quelle:* die tageszeitung vom 14. 9. 1990, S. 11

Dokument 6

Katharina Müller/Henry Mathews

## Unzureichender Tarifvertrag in Lima geschlossen

Mit der Unterzeichnung eines neuen Tarifvertrages endeten am Abend des 19. September 1990 bei der *Schering Farmacéutica Peruana* die ersten Tarifverhandlungen seit dem wirtschaftlichen Schockprogramm des neuen peruanischen Staatspräsidenten Fujimori. Für die Arbeiterinnen und Arbeiter der Niederlassung des bundesdeutschen Pharmakonzerns Schering bedeutet der neue Tarifvertrag die Festschreibung eines unzureichenden Lohnniveaus. Die Gewerkschaft stimmte dem Vertrag nur unter Druck zu.

Der vereinbarte Tages-Grundlohn beträgt 2.457.000 Inti, rückwirkend zum 19. August. Die Betriebsgewerkschaft war mit einer Forderung von 30 Mio. Inti pro Tag in die Tarifverhandlungen gegangen. Beim gegenwärtigen Umrechnungskurs der stabilen Vergleichswährung entspricht der jetzt vereinbarte Lohn 5,52 US-Dollar, was für die Beschäftigten die Festschreibung des Reallohnverlustes bedeutet: Bereits am 20. August des Vorjahres war eine Tageslohnsumme vereinbart worden, die zwölf US-Dollar entsprach.

Die Arbeiterschaft ist mit dem jetzigen Ergebnis ausgesprochen unzufrieden. Die Leitung der Betriebsgewerkschaft sah sich trotzdem zur Unterzeichnung des Vertrages gezwungen, denn in Peru gilt nur eine eingeschränkte Tarifautonomie. Da die Verhandlungen bereits seit einigen Wochen andauerten, war eine Intervention des peruanischen Arbeitsministeriums in Kürze zu erwarten. Die vom Ministerium festgelegte Lohnsumme hätte dann noch unterhalb des jetzt vereinbarten Betrages liegen können.

Erstmals ist in dem neuen Tarifvertrag auch für die Arbeiterinnen und Arbeiter der Schering-Niederlassung ein regelmäßiger Inflationsausgleich vorgesehen. Bisher kamen nur die Angestellten in den Genuß einer solchen Indexierung. Die jetzt vereinbarte komplizierte Regelung schreibt aber ebenfalls den weiteren Reallohnverlust fest. Bis Mai 1991 sollen jeweils nur 75 Prozent der monatlichen Inflation ausgeglichen werden, danach jeweils 85 Prozent. Bei einer Monatsinflation von mehr als 20,01 Prozent erfolgt die Lohnanhebung monatlich, ansonsten alle zwei Monate. Angesichts einer Teuerungsrate von 397 Prozent allein im August kommt einer Indexierung der Löhne große Bedeutung zu.

Das renommierte peruanische Wirtschaftsforschungsinstitut CUANTO S. A. gibt den Wert des Warenkorbes, der zur Minimalversorgung einer Durchschnittsfamilie notwendig ist, gegenwärtig mit 2,8 Mio. Intis an. Der neue Schering-Lohn ist somit zur Versorgung nicht ausreichend.

Noch am 10. und 11. September 1990 hatte die Arbeiterschaft der *Schering Farmacéutica Peruana* mit einem 48-stündigen Warnstreik versucht, ihrer Tarifforderung Nachdruck zu verleihen. Die Unternehmensleitung hatte daraufhin die Verhandlungen abgebrochen, und sie erst nach dem Streik auf eine schriftliche Bitte der Betriebsgewerkschaft hin wieder aufgenommen. Die insgesamt harte Verhandlungsführung der Arbeitgeberseite, die auch von der Schering-Konzernzentrale in Berlin gebilligt worden war, zahlte sich für das Unternehmen jetzt aus. Gemessen am peruanischen Preisniveau werden die neuen Löhne von den Arbeiterinnen und Arbeitern in Lima als ungerecht empfunden.

*Quelle:* Informationsdienst „Die unabhängigen Kritiker des Schering-Konzerns informieren“, Ausgabe 5/90 vom 16. 12. 1990, S. 4

Dokument 7

## Hauptversammlung der Schering AG, 3. Juli 1992, Berlin

# Redeausschnitt Henry Mathews, Schering-Aktions-Netzwerk

„Bereits mehrfach mußte ich hier auf Löhne unterhalb des Existenzminimums und unzureichenden Inflationsausgleich bei der *Schering Farmacéutica Peruana* hinweisen. Auch in der allerjüngsten Vergangenheit setzte sich der unsoziale Trend bei dieser Schering-Tochterfirma in Lima fort. Angleichungen der Löhne an die noch immer hohe Inflationsrate hätten den Arbeiterinnen und Arbeitern laut geltendem Tarifvertrag am 2. März und am 4. Mai 1992 zugestanden. Zum Anfang März hätten dabei 75 Prozent der Inflation der Monate Januar und Februar ausgeglichen werden müssen, zum Anfang Mai zusätzlich 85 Prozent der Inflation von März und April.

Die Unternehmensleitung in Lima hat beide Termine verstreichen lassen und erst nach Protesten der Betriebsgewerkschaft im Mai die Lohnerhöhungen vorgenommen und die bereits früher fälligen Aufschläge nachgezahlt. Für die Belegschaft bedeuteten diese verspäteten Zahlungen erneut soziale Härten.

Damit aber nicht genug. Schering zahlte die Lohnerhöhungen nicht nur zu spät, sondern auch unter für die Arbeitnehmer schlechteren Voraussetzungen. Es handelt sich jetzt nicht mehr um einen automatischen Inflationsausgleich, wie er den Arbeiterinnen und Arbeitern laut geltendem Tarifvertrag zusteht, sondern vielmehr um Fixbeträge, die zwischen den Tarifparteien immer wieder aufs neue ausgehandelt werden müssen.

Damit macht sich Schering die arbeitnehmerfeindlichen Erlasse des derzeitigen Machthabers in Peru zu Nutze. Meine Damen und Herren, Sie werden verfolgt haben, daß der gewählte Staatspräsident Perus am 5. April 1992 selbst einen Putsch gegen die übrigen demokratischen Einrichtungen des Landes durchgeführt hat. Alberto Fujimori hat die Verfassung außer Kraft gesetzt, das Parlament aufgelöst und die Justiz gelähmt. Dies hat Demonstrationen, Streiks und andere Formen demokratischer Artikulation zu einem gefährlichen Unterfangen werden lassen. Eines der von ihm nach dem Putsch erlassenen Dekrete untersagt die Indexierung der Löhne, also ihre automatische Angleichung an die Inflation, ein von den Gewerkschaften erstrittenes Recht. Als Ausnahme läßt das Dekret eine Indexierung allerdings weiterhin zu, wenn beide Tarifparteien sie befürworten.

Die Unternehmensleitung bei Schering in Peru befürwortet sie nicht und scheute nun auch nicht davor zurück, das Putschistendekret zu benutzen, um die Vereinbarungen des Tarifvertrags zu brechen. Der Betriebsgewerkschaft blieb nichts anderes übrig, als den Fixbeträgen zuzustimmen, um überhaupt noch eine Lohnerhöhung ausgezahlt zu bekommen.

Schering geht aber sogar noch weiter in der Ausnutzung der momentanen arbeitnehmerfeindlichen Lage. Ein Mitglied der Geschäftsführung von *Schering Farmacéutica Peruana*, der *Gerente de Economía*, drohte gegenüber der Betriebsgewerkschaft, er könne im Fall eines Streiks nicht für die Sicherheit der Streikenden garantieren. Und dies – meine Damen und Herren – einen Tag nach dem Putsch, als gerade zahllose Gewerkschafter grundlos inhaftiert worden waren.

Für den 7. und 8. April 1992 hatte die Schering-Betriebsgewerkschaft einen Warnstreik angekündigt, mit dem sie gegen die erwähnte Verspätung der Lohnerhöhungen protestieren wollte. Angesichts der Drohungen und Ereignisse während des Putsches verzichteten sie dann aber doch auf diese nur allzu berechtigte Arbeitskampfmaßnahme. Die Werksleitung hatte derweil schon die Polizei alarmiert, die die Beschäftigten daraufhin am Morgen des 7. April 1992 vor den Werkstoren erwartete.

In meinen Augen ist das Verhalten der Schering-Unternehmensleitung in Lima weiterhin außerordentlich unsozial und angesichts der politischen Situation durch den Putsch auch undemokratisch! *Schering Farmacéutica Peruana* ist Mitglied im Dachverband der peruanischen Pharmafirmen ALAFARPE, der wiederum dem Unternehmerverband CONFIEP angeschlossen ist. CONFIEP aber befürwortet ausdrücklich die Maßnahmen des Putschisten Fujimori.

Meine Damen und Herren, ich frage Sie: Können wir Aktionäre das widerspruchslos hinnehmen? Können wir tolerieren, daß Schering in einem Land Südamerikas mit Putschisten Hand in Hand arbeitet? Können wir dazu schweigen, wenn Schering die arbeitnehmerfeindlichen Erlasse eines Putschisten schamlos ausnutzt?

Nach meiner Überzeugung müssen wir bei solchen Vorfällen dem Vorstand und dem Aufsichtsrat, die dafür gemeinsam die Verantwortung tragen, unser Vertrauen entziehen."

*Quelle:* Archiv des Schering-Aktions-Netzwerkes (SchAN)

Dokument 8

## Henry Mathews

# Massenentlassungen bei Schering/Peru

Im Schering-Werk in Lima hat die gesamte Belegschaft der Fertigungsabteilung mit einer Frist von nur drei Werktagen ihre Arbeitsplätze verloren. Formaljuristisch hat der Pharmakonzern dabei selbst keine Beschäftigten entlassen. Die Umstände ihrer „freiwilligen" Kündigungen kommen aber einem Rausschmiß gleich. Hintergrund ist die Schließung der Abteilung im Rahmen einer Verringerung der Produktionsstandorte in Lateinamerika.

Der deutsche Geschäftsführer des Werks, Kahn, hatte die Beschäftigten am Freitag, dem 14. August 1992, aufgefordert, innerhalb von zweieinhalb Stunden „freiwillig" zu kündigen, weil die Abteilung geschlossen werde. Dafür bot er ihnen Abfindungen in doppelter Höhe des gesetzlichen Minimums an. Betroffenen, die nicht selbst kündigen wollten, drohte Kahn Entlassungen ohne Abfindung an. Erst nachdem sich die plötzliche Massenkündigung als undurchführbar erwies, wurde die Frist bis zum Dienstag der folgenden Woche verlängert.

Alle 67 betroffenen Arbeiterinnen und Angestellten haben bis zu diesem Datum ihre Kündigungen eingereicht und verloren damit jeden rechtlichen Anspruch auf eine Weiterbeschäftigung. Dieser Tatsache kommt große Bedeutung zu, denn der Dachverband der Beschäftigten peruanischer Pharmafirmen (FETLDA) bezweifelt inzwischen die Rechtmäßigkeit der von Schering angedrohten Entlassungen. Diese hätten einer Zustimmung des peruanischen Arbeitsministeriums bedurft, die frühestens in einigen Monaten zu erwarten gewesen sei. Entlassungen ohne Abfindungszahlungen seien aber auch dann nur zulässig, wenn ein Verschulden der Arbeitnehmer vorläge.

Angesichts dessen erscheint der von Schering gewählte Weg als eine geschickte Umgehung des gesetzlichen Kündigungsschutzes. Darauf deutet auch der Zeitpunkt der Personalreduktion hin, denn am 19. August 1992 hätten die diesjährigen Tarifverhandlungen in dem Werk begonnen. Die Höhe der gesetzlich garantierten Abfindungen bei Kündigungen richtet sich nach dem jeweils aktuellen Tarif. Schering kann die nun fälligen Zahlungen somit noch nach dem alten, niedrigeren Tarif berechnen.

Nach Einschätzung von Beobachtern sind die angebotenen Abfindungen zu gering, als daß sich die Betroffenen damit eigene Existenzen aufbauen könnten. Die Aussicht auf neue Arbeitsplätze sei angesichts der gegenwärtigen Konjunktur in Peru aber verschwindend gering.

Wie FETLDA mitteilt, verloste Schering als zusätzliche Anreize zur „freiwilligen“ Kündigung unter jeweils zehn scheidenden Beschäftigten ein Auto. Betroffene empfanden es als zynisch, daß die Firmenleitung alle Beschäftigten darüber hinaus zu einer „Abschiedsfeier“ eingeladen hat.

Nach Unterzeichnung der Kündigungen bot die Schering-Werksleitung einigen ArbeiterInnen an, ihnen Arbeitsplätze bei anderen Unternehmen in Lima zu vermitteln. Allen Betroffenen stellte sie kostenlose Ausbildungen oder Umschulungen in Aussicht. Ob solche Maßnahmen bereits zustande gekommen sind, ist noch unklar. Auch über die Bezahlung der neuen Arbeitsplätze oder Qualität der Ausbildungen ist bislang nichts bekannt.

Die vorher nicht angekündigte Schließung der Pharmafertigung in Lima ist nach Angaben der Firma Teil einer Konzentration auf wenige Produktionsstandorte in Lateinamerika. Hintergrund dieser Umstrukturierung ist der Wegfall von Handelshemmnissen zwischen den Staaten des Subkontinents. In seiner Folge wurde der Import von Arzneimitteln nach Peru günstiger als die Produktion vor Ort. Der Firmensprecher sagte zudem, steigende Anforderungen an die technische Ausstattung hätten künftig hohe Investitionen im peruanischen Werk erfordert. Sie seien aber durch den geringen Jahresumsatz von zuletzt 15 Mio. DM in dem Land nicht gerechtfertigt gewesen.

Erste Meldungen aus Lima hatten besagt, daß alle 156 Beschäftigten des gesamten Werkes von den Kündigungen betroffen seien. Wie auch durch die Konzernzentrale in Berlin bestätigt wurde, verloren aber „nur“ die 67 ArbeiterInnen und Angestellten der Pharma-Fertigung und -Verpackung ihre Arbeitsplätze. Die übrigen Angestellten werden auch künftig für den Vertrieb der Schering-Arzneimittel in Peru arbeiten.

*Quelle:* ila – Zeitschrift der Informationsstelle Lateinamerika, Nr. 158, September 1992, S. 40

# Kritische Aktionärinnen und Aktionäre

## Menschen für Umweltschutz und soziale Gerechtigkeit

Um den Profit zu maximieren, hat Bayer AIDS-verseuchte Blutpräparate verkauft, will Siemens die slowakische Atomruine Mochovce ans Netz bringen, will Thyssen den Transrapid in die Landschaft nageln und Daimler Benz den Eurofighter an den Himmel hängen. Hoechst und Schering pflanzen weltweit genveränderte Kartoffel-, Raps- und Tabaksorten. Die Deutsche Bank organisiert die systematische Ausbeutung der Entwicklungsländer, statt die Schuldenkrise sozial gerecht zu lösen.

Seit Mitte der achtziger Jahre mucken einige Kleinaktionäre auf gegen solch rücksichtsloses Geschäftsgebaren, wollen die Sozialbindung des Eigentums nicht als Grundgesetzanekdote verkommen lassen. Die „Kritischen Aktionärinnen und Aktionäre" fragen nicht zuerst, wie hoch ihre Dividende ausfällt, sondern woher sie stammt. In den Hauptversammlungen von derzeit rund 30 deutschen AGs verlangen sie lautstark mehr Umweltschutz, mehr soziale Gerechtigkeit und die Einhaltung der Menschenrechte.

Bei Bayer, Merck und der Deutschen Bank haben die Kritischen Aktionäre 1996 erstmals beantragt, Umweltschutz und Produkthaftung als zentrale Unternehmensziele in den Satzungen zu verankern. Mit knapp fünf Prozent der abgegebenen Stimmen blieben diese Anträge bislang erfolglos, doch immer mehr Kleinaktionäre schließen sich den Kritikern an und übertragen ihnen die Stimmrechte der Aktien.

„Wir respektieren jeden, der seine Daimler- oder Siemens-Aktien als Kapitalanlage behalten möchte", garantiert Henry Mathews, der Geschäftsführer des Dachverbands der Kritischen Aktionärinnen und Aktionäre. „Wenn er aber nicht mehr damit einverstanden ist, daß ein Teil seiner Dividende mit Waffen oder Atomtechnik verdient wird, kann er die Konzernherren das durch uns wissen lassen."

Wer sich vom Dachverband vertreten lassen will, muß ihm nur einmal im Jahr eine Vollmacht erteilen. Sie deckt die Stimmrechte bei allen Firmen ab, in deren Hauptversammlungen die Kritischen Aktionäre aktiv sind. „Eine Gebühr erheben wir nicht dafür", versichert Mathews, „aber unsere Arbeit ist nur möglich, wenn die Aktionäre einen kleinen Teil Ihrer Dividende an uns weitergeben." Richtwert sei eine Mark pro 50-Mark-Aktie, „aber viele spenden auch mehr."

Dachverband der Kritischen Aktionärinnen und Aktionäre e.V.
Schlackstraße 16
D-50737 Köln
Telefon: (0221) 599 56 47
Fax: (0221) 599 10 24
E-Mail: 100451.1401@CompuServe.com
Spendenkonto Nr. 896 22 92
Stadtsparkasse Köln
BLZ 370 501 98